静心安神瑜伽

曲影瑜伽

静心·宁神·冥想·调息

曲影 编著

U0823981

成都时代出版社

心灵之旅

铜鼎山林，虽然各有天性，但仍有一颗共通的心。常听人说“祝你心想事成”，为什么要这么讲？因为这世界是用“心念”创造出来的。举例来说，人类会因为看着天空想：“如果能像小鸟一样会飞多好！”于是就有了飞机的发明。

我们已知超意识隐藏在潜意识里面，潜意识具有惊人的能力，它储藏人类所有的智慧，控制我们所有行为的自动运作，影响我们的人生。我们的命运，须靠意识来引导，所以需要开启我们的潜意识，建立积极美好的念想，才能带动幸福美满的人生。

瑜伽哲理伟大的地方也就是“人不是物质，人是圣灵”万法唯心造，也就是说，这个世界是由我们心灵的力量创造出来的，我们的命运是由我们的想法决定的，你心里怎么想，就会有什么样的命运。

在我们宇宙中有正负两种能量相生相克，它们会照我们的意思运行，为我们所有。基本上，“正能量”和我们所认知的相差不远：光明、美好、善良、耐心、慈善、希望等；“负能量”就是：黑暗、仇恨、恐惧、自私、胆怯、沮丧等。

正负两种能量相互牵制，如果我们能加以制化，便能为我们所用。正能量吸引更多真、美、善；负能量则招致祸害灾殃，但最重要的是我们有选择的权利，只要思想积极、光明，不说妄语、不做坏事，就能成为正能量所喜爱的人。

心灵瑜伽最伟大的目的“灵的法则”就是引导人们了解每个人内在的最高潜能，将身体作为容器，借心灵的修炼，倾注精神以高尚的言论、正面积极的能量，抛弃那些黑暗、仇恨、恐惧、自私、胆怯、沮丧的负能量，和谐地将肉体与精神的健康结合在一起，使这个世界变得更美好。

练习瑜伽这些年，它给我平凡而富有变化的生活注入了无限的灵性，就像呼吸，自然地融入了我的身心，那种难以言表的喜悦每天都充盈着我的内心最深处，让我时刻感知到生活的美好。

现在就让我们开始这次心灵瑜伽的旅程，记住生命之美在于练习！瑜伽，让我们拥有美丽的生活。

Contents 目录

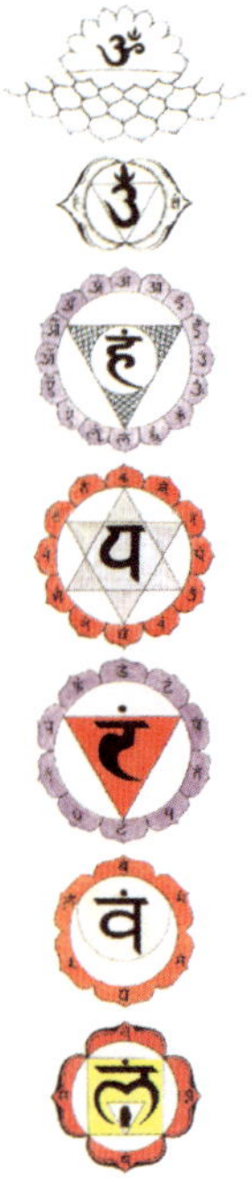

第一章

神入的瑜伽

THE MYSTERY OF THE YOGA

一、瑜伽的起源
The origin of the Yoga

瑜伽是东方最古老的强身术之一。传说在古印度高达8000米的圣母山上，有人修成圣人，亦有人成为修行者，他们将修炼秘密传授给有意追求者，因而传承至今。瑜伽是人类智慧的结晶，也是印度先贤在最深沉的观想和静定状态下，从直觉了悟生命的认知。瑜伽修炼秘要是理论和实践互相参证的法典。

瑜伽修持者开始只有少数人，一般在寺院、乡间小舍、喜马拉雅山洞穴和茂密森林中心地带修持，由瑜伽大师讲授给那些愿意接受的门徒。以后瑜伽逐步在印度普通人中间流传开来。

而今的瑜伽，已经是印度人民几千年来从实践中总结出的人体科学的修炼法，再也不是只限于少数隐居人的秘密。目前，瑜伽已在全世界广泛传播。印度有很多专门研究瑜伽的学校。

瑜伽有一套从肉体到精神极其完备的修持方法，当今的瑜伽不仅只属于哲学和宗教的范畴，它有着更广泛的含义，千年不衰，强大而有生命力。

二、何谓“心灵瑜伽”
What is the“heart yoga”

心灵一：做自己的主人。

若你长期处于心闷、沮丧、悲观、想要远离人群的逃避心态，对未来人生走向觉得没有意义，这可能是忧郁症的前兆。忧郁的情绪经常导致各种不安的念头，那是因为身体和心灵处于矛盾之中，无法平静下来。很多人以为治疗心灵要从心灵着手，于是买了一堆书来舒解不安、寻求解脱，或是藉由抽烟喝酒来逃避、麻醉自己，以为那是情绪的出口。其实，这反而会让负面能量继续累积在你的身体器官之中，成了忧郁症的温床。瑜伽最大的力量，来自于让身体在动静之间自然做主，真正的力量来自于自己的身体——瑜伽强调让你的头脑停止思考，进入一种沉淀静止的状态，听从身体的指示，在身体自然的呼吸律动之中，慢慢按摩你的内脏经脉，化解久积在身体里的负面能量。

心灵二：自信来自于身心。

长期处于压力过大或是悲伤沮丧中，你会完全失去自信。拥有健康的身体，才有自信的心灵，因为心灵状态绝对会影响身体状态。一个人如果一直处于欲望太多、不满足的状态，那其实是对自己没有自信、内心不安的表现，想要抓取更多外在的东西来填补心灵空虚，到最后永远无法满足。另一种人是自我太过于强大执着，主观意识很强，这也是因为没有自信，造成过于自大或自卑的心理状态。我们经常可以在周围的朋友身上，甚至自己身上发现上述这些特质。这个时候，自己的生活中、工作上或情感上会出现很多问题，给自己或别人很大的压力和焦虑。其实，真正的自信来自于身体和心灵的协调统一。瑜伽强调的就是身心的整合，当你放下一切烦恼，让身体进入瑜伽的动静之中，此时，你的头脑不用那么累地去掌握每一刻的对错，让身体的每一个细胞开始活络起来，把原本的身体秩序打破，再重新组合，慢慢引导出内在的统一，你将会感受到一个全新自信的自己。

心灵三：让身心融于大自然。

我们的身体就是一个小自然。一个生命的诞生，是大自然宇宙规则下的产物，现代人的生活跟大自然几乎完全隔离，于是，我们的身体与它最原本的出处断了音讯。你一定有接触户外大自然的经验，曾在山川溪涧烤肉嬉水，在树林花丛中追逐，在草地上平躺着看蔚蓝的天空，那时心里一定真实地感受到那种没有原因没有理由的喜悦与轻松，身体在大自然之中是非常自在的，在那个时候，你的心灵也得到了舒解，放松了紧张焦虑或是悲伤忧郁的情绪，在与大自然的互动呼吸之间，情绪、压力突然间消失无踪。这就是为什么瑜伽更适合在户外进行的原因。当你身体的动作与呼吸和大自然慢慢融合时，原本累积在你身体器官中的负面能量，也会通过身体的“动”而释放出来。

心灵四：抗压解忧，让头脑止息。

压力的来源，都是因为自我受了挫折或缺乏自信而产生。因为工作或感情而产生了极大的不安焦虑，人会变得非常胆小脆弱、犹豫不决、没有力量，接着不断被各种情境打倒，老板或同事跟你说话的语气、一个眼神，或是情人的一些动作，都可能让你马上陷入沮丧之中。在各种瑜伽中，都会有类似静坐的课程，就是让头脑止息下来，不再让那些纷扰的念头毫无控制地胡乱影响思绪。当真正放下了头脑里的那些念头，把它们停止下来，你会发现原来空白的状态才是心灵最佳的休息状态。此时再通过冥想一些喜悦的感受，让自己沉浸在喜悦的能量之中，用喜悦来洗涤、抚慰你心中的压力和焦虑。随时充电，用积极乐观的态度来面对生活。

心灵五：生活就是要简单。

用小孩子的眼光，看着世界的千变万化，其实是让事情不再显得复杂。单一的输入与输出对缓和自己的情绪有益。真诚面对自己，其实是一件很难的事情。进入瑜伽的领域，领悟自己的生活变化，让心灵恢复孩童般天真自然的天性，乐观、积极、越挫越勇、简单、朴素的瑜伽生活，训练平静心，用喜悦来面对崭新的生活。

心灵六：把感受倾于笔端。

人都有孤独的时候，有时候好朋友或是医师、瑜伽老师不在你旁边，他们无法倾听你心里的烦恼时，那你不妨买一个可爱的笔记本随时带在身边，把心里所有想的事情，比如一些梦想、欲望、对人的看法或是对街道上人、事、物的印象感触以及一些小秘密，通通记录下来，标上日期。它不仅是一本生活的记事本，也是心情的杂记本，把它当作一种情绪的出口，当日后再回头浏览时，从中可以窥探自己的情绪轨迹。生命的美好，在于喜悦与和谐占据生活的大部分。有负面的情绪才知道正面的喜悦，每个人都难免会有情绪低落与沮丧的时刻，也许一个拥抱、身边亲密的人一句安慰的话语，都能让负面情绪获得转移。心灵瑜伽，希望当你独处并面对无助时，能勇敢走出阴影。因为唯有拥有健康的心灵，才能拥有健康的身体！

三、修炼要诀
The ways of doing the yoga

瑜伽一词源于梵文音译，有结合、联系之意，这也是瑜伽的宗旨和目的，是为达到冥想而集中意识之义。可究竟是什么同什么结合呢？其实瑜伽是为指明人类本能从较低到较高的结合 ，用同样方式也可从较高到较低的结合或同自我结合，这也意味着与最高的宇宙万物之灵相同化，使自己从痛苦和灾难中获得解脱。

瑜伽的修持方法，能把散乱的精神集中并使之平静下来。瑜伽修炼首先着眼于身心融合为一，在此基础上，引导修持者进入无上完美的境界。在瑜伽修炼过程中，修持者逐渐深化自己内在的精神，从外到内，从感觉到精神、理性，而后到意识，最后把握自我，同内在的精神相融合，达到天人合一。

由于在日常生活中人们身心承受焦虑和苦痛的折磨，以致多种疾病缠身。通过瑜伽的修炼，疾病也从此痊愈，身心越来越健康。

要达到这种自我清净，与天地融合的最高境界，必须遵守下面六项要诀。

（1）信心。对于修持的方法有信心，对于最终能达到心灵的真正自由和光明有信心。

（2）尊敬。对宇宙的至上意识存着尊敬之心。

（3）对灵性上师的敬拜。灵性上师是一切慈爱、喜悦及智慧的化身。上师能指示正确 的道理，并消除我们在修持中所产生的疑虑和困境。

（4）一体的感觉。宇宙万物均属于同一体系，灵修者心中没有种族、贫富和成见，他们感觉到万物如一。

（5）自制。借修持来节制我们的感觉器官和运动器官。使我们心灵不受痛苦、憎恨、贪婪、羞愧等种种情绪的束缚。

（6）有节制的饮食。饮食应该均衡，重质不重量，不贪图口腹的享受。

四、瑜伽包括身、心、灵三个方面

The yoga contains: body, pondering, spirit .

生命是真实的，而肉体和精神就是支撑生命的原动力。如果我们遭遇任何困难，应以自己的力量来解决，命运掌握在自己的手中，肉体和精神要靠自己来决定，而瑜伽就是帮助自己的最好方法。我们常说“先除心中的毛病，再治身上的疾病”，而瑜伽的目的在于除却身心痛苦达到顿悟境地，这不只是强调肉体的健康、精神的健全，更主要是灵性的提升。

瑜伽包括身、心、灵三个方面：

身——探索人类身体构造及奥秘，不只是一门生理学、解剖学，也是一门灵学。我们需要的营养，除饮食外，还须配合运动、呼吸法，才能让身体轻盈自在，更加健美自然。

心——指精神的健全，精神能变化我们的肉体和命运。瑜伽告诉我们如何系紧人心，使人的五官（眼、耳、鼻、口、身）不被外来的刺激所诱惑，并进一步提升到净化与解脱的境地。“心”是念头，是想象力，亦是创造力。善用心的法则，心能解决一切日常的疑难杂症，并且告诉我们使心柔软和坚强的妙方。

灵——指灵性的提升，从冥想中以参悟解脱身心之法。灵性的提升能使小我的意识提升至高觉醒的阶段，与永恒无限的至上意识融合为一！此外，瑜伽在心理上亦能控制思想的波动，突破我们周遭所经历的痛苦，亦能从轮回的束缚中自我解脱。瑜伽除体位法之外，必须进入静坐境界才是真正的瑜伽。

瑜伽的目的在于领悟、追求真正的人生，进而建立一个所有自然物都能和平共容的世界。YOGA（瑜伽原文）即融合、调和之意，我们应与天地间一切相和谐，因此只要学习真正的瑜伽，就可以使身心健康，也能得到自然的身心和生活，这种自然性也就是和平喜悦及真善美的原动力。

第二章

精神的瑜伽

THE SPIRIT OF THE YOGA

To sublime your soul, being conscious of the meaning of your life.

——心灵升华，感悟人生

生命是一趟永久的革命，也是一个不断重新创造自我的历程。这对于你的精神生活而言，更是如此。生命中的这部分最有深度也最有意义。想要我们的精神生活深厚而充满灵性，这需要我们有着正确的信仰。一个正确的信仰，根植于伟大的精神观念中，这种观念能滋养我们。

追求精神生活的心灵瑜伽，赋与我们心灵以感悟、健康与希望的伟大信仰，让我们沿着它走入生命的最高层。

一、领悟的瑜伽
The realization of the Yoga

退回自己身上,注意看……

如果你发现自己尚不美，像一个雕像的塑造者来使她变得美丽。

修饰这里，琢磨那里，使这边线条明亮，那边更加纯净。

直到这整个雕像有美丽的脸庞。

切去所有多余的地方，将所有突兀的地方磨平，

照亮所有阴暗处，努力使每个地方都散发美丽的光芒。

不要停止雕琢你的雕像，直到她闪烁着神一般美善的光辉，

直到你看到最后的美善，确定建立在这无瑕的神龛上。

当你已完成这完美的工作……

将唤回你的自信，只需再向前一步，你就将进入悟性的境界。

(一)摆脱固执 战胜心魔 Defeat the devil in your heart

把相同的事，长时间加以思虑，无意识中就会形成一种信念，有了这种“肯定不会错”的意念，并加以坚持、抵死不改，就会导致非这样不可或非那样不行的负面性格，这就是束缚我们心灵的一个“心魔”，它经常把我们捆绑得动弹不得，难以挣脱。

人生的许多痛苦不幸大都是由此负面的性格所引起。

所以我们强调这世上会有更好的存在，除了这样还会有更多的选择。如果能时刻接受真理，坚持正面的信念，将高尚、健康、幸福、和平的心念植入内心深处，我们即会得到无限的好处，因为智慧的信念能受用一生，给人生带来光明。

我们了解“心灵的大容器能够包容一切”这个理论，相信人不是单纯的肉体，而是有无限的能力可以解决这一切的问题，而万般问题的解决之道则取决于心。人的起心动念来自潜意识，好的动念能带我们走入光明，所以把心中的思绪起因加以发现并“转念”就行，凡事想好即变好，想能解决就可以解决。想象力也就是创造力，要经常想象伟大的自己，我们就能挣脱一切固执、偏激的意念，打破思想的捆缚，创造更深远、更广阔的人生。

(二)根植不动的自信力 Set up confidence

瑜伽修炼，能在一个人的心中根植不动的自信力。一个人的心中，假如有了“我必能做”的信念，自然能增加数倍的效率以完成工作。对于事物的处理不够干脆，遇事迟疑不决的人，一经瑜伽的修炼，会使他的性格产生很大的转变，变消极为积极，处理事务便能直截了当，不会拖泥带水了。由此推知，瑜伽可以说是心理疗法的一种。

(三)化危机为转机 Convert crisis into turning point

我们试着小心计划自己的生活，但不可避免地，总会面临不能如愿的危机境地。这或许归因于外在世界的一些事件的干扰，或因为我们自己的疏忽，而最有可能的情况是由两者联合产生的结果。我们会感到被侵害、被破坏、无助与无能，每个人都会有这样的经验。

在每个不幸的情境中，我们可以放弃，继续绝望，也可以利用这些不幸去测试自己解决问题的能力与想象力。

最好的解决方式是化危机为转机，这么做，我们能有意识地重新看待自己的处境。那些威胁我们的黑点，不久就会成为一个光点，成为一个会让我们微笑的回忆。

不需要沮丧、绝望或悲伤，你能漫步美中。

(四)决心与意志力量 Strength of the determination and will

决心与意志的力量，是超乎我们理性所能想象的，然而同时，它也是完全理性的。我们知道它在日常生活中如何运作，以及它对我们每天生活的进行是多么重要——意志可以实现我们的行动与梦想。

然而，意志如果不能谨慎使用，也会成为一把魔剑。我们必须避免发展那种压迫别人的意志。我们要　发展那种使自己行动成形的意志，就像陶工将尚未定型的陶土捏制成形一样。意志能够支持、鼓舞与激励我们。

激励他人有意志去生存、去坚持，并赋予生命的意义，这是瑜伽赋予心灵的任务。

二、真爱的瑜伽
The Love Of The Yoga

“爱”能净化一切，能让我们打开天国的门。“天国”表示最美好的地方，也就是我们所盼望的如意生活之处，我们若希望过着像在天国生活的日子，就得打开天国之门。体验能把头脑的学问转变成行为的学问。建立一个“爱”的观念……了解爱的真谛，才能过感谢的生活，感谢的生活也就是真理的生活。

(一)无条件的爱 Unselfish Love

什么是爱？我们要怎样走爱的道路？这和信仰没有关系。爱有四个层次。

第一个层次是希望人家来爱我们，这也是人生第一阶段——被爱的喜欢。相信没有一个人不希望被爱，绝大多数的人就是因为得不到爱，才会懊恼痛苦。

第二层次是爱那些爱我们的人。当各位得到爱我们的人时，就会使我们升华去爱我们的人，第二阶段的爱，当然比第一阶段伟大。

第三层次是爱那些不爱我们的人。第三阶段爱的对象可以说有很多人，很难做到，因为对不爱我们的人还要想办法去爱他们，这个层次明显比前两个更伟大。一般人对于疼爱你的人，一定愿意加倍爱回去，但若是对自己不好的人，只会不断“加恨”，没完没了。用“恨”来对待人是错误的。爱的第三层次，一定要有不爱我们的人出现，才有机会让我们去表达这个层次的爱，所以，如果有这样一个不爱我们的人在我们面前时，千万要感谢这个人，否则你就无法成就第三阶段的爱。

最后也是最高层次的爱，就是连加害我们的人都要能够去爱。这是很了不起的爱，做到此，你就走在真理之路上，同时也打开了天国之门。

真正的爱是将自己钉在十字架上，不要跟人计较，因为爱的道路能解决问题。我们常在报纸上看到很多报道，如看到有人掉到水里，有人奋不顾身地跳下去救人，或看到马路上开过来的车子，母亲不假思索地把孩子推开，自己被撞倒后还回头笑一笑，因为孩子没有被撞倒。这是为什么？这就是她愿意被钉在十字架上，好让孩子得救。这种爱是很感人的，在真正必要的时刻，应该要见义勇为，做出爱的最高表现。

其实，任何人都要互相相爱。只要能做到第三、四阶段之爱，任何不好的问题都会改变，然后得到好的生活。或许我们背十字架的人，有时为了救火，连生命都牺牲了，然而他的灵魂却得到了升华，他的存在得到世人的敬仰，是一个永恒的胜利者。在我们的心目中存在的不都是这些人吗?

(二)尽从孝道，关爱父母 The Realization Of The Yoga

人自呱呱落地起，就不断承受各种恩泽。人在出世时，都是赤裸裸的，并没有带来任何东西。从呱呱落地到长大成人，一般所需费用都是父母以心血换来的。世界上没有两件东西是相同的，就是生长在我们头上的头发也不会两根一样短长，唯有天下父母爱子心却是一样的高深、长远。父母的光辉与日月同光、同明，父恩比山高，母恩比海深。十月怀胎，三年哺养，七年恩养，十年培植，父母的一腔心血完全用在子女的身上。父母饱受了多少的艰难困苦?子女有病，则废□忘食，日夜忧愁，愿以自身替代；子女出门晚归，倚门张望，坐卧不安……

人类最大的天性莫过于“爱心”，而“孝心”又是爱心的最高表现，孝是“百善之首、百行之基”，孝是迎接光明的唯一途径。孝心即爱心，而爱心又是神的本质。因此，如懂得时时省察自己的“孝心”，常怀感谢之心，感谢长辈、祖先，则能在感念中得到神爱的光明，获得愉快的心情与幸福的人生。

(三)笑是百福之门 The Realization Of The Yoga

笑及感恩是人一生中非常重要的。但是，一般人都忘了利用它而导致疾病和事事不如意。如果每个人都知道笑及感恩的重要，家庭就不会有争执，社会也会减少犯罪事件。

笑就是美，有感恩的心才笑得出来。

笑就是美，西洋名画家达芬奇因画了一幅《蒙娜丽莎的微笑》而流传千古。若从内心生出对人类的笑意，脸上自然流露出温馨的微笑。

在这世上所有的生物中，真正会笑的只有人了，可以说这是神赐给人的特权。日常生活中如能常笑并时时感恩，人生观将会有很大的转变，转为好运、好命，拥有一个健康快乐的人生，那时候就不会再说人生是苦海了。

The yoga does help you rebuild your a-ok figure

三、和谐的瑜伽
The Concordant Yoga

生命最高，
生命是一道颜色炫丽的彩虹，
我们不需沮丧、
绝望与悲伤。
我们能在美中散步，
你能漫步美中，
但首先必须看重自己，
将自己视为宇宙中一颗独特的、
受到恩宠的粒子。

(一) 身心灵完美的和谐 Harmony Of Baby, mind And Spirit

健康也被视为一种体内的和谐，及身体与宇宙其他能量的和谐。以这种观点看待健康，需要一颗能完全领悟的心。心灵的观点对身体是重要的，因为它能提供指导原则使所有事情连贯、清晰与和谐。

在我们的内心深处也在时时刻刻地努力寻求着一种和谐，我们充满希望，是为了达到不失望，我们总试着让思想去考虑那些积极的观念，是为了不消极怠日。希望是生命的动力，瑜伽赋与我们无与伦比的激情，让我们将生命当成一座山峰，努力地向上攀登。

古希腊关于宇宙组织的一个原则就是“登峰”。希腊人试着追求完美，追求身体力量与高尚情操的结合。攀登到顶峰，为的就是表达这永恒的和谐。山峰可被视为努力到达人类完美的极限，它是一种真、善、美、力量与最高品质的表示。希腊人以严肃与热切的态度看待这个观念，他们的生活方式就是山峰瑜伽的实践，这是希腊文化伟大的基础。

健康——身体器官的至高爱恋。

(二)漫步大自然 To Be Into Xicated Nature

穿越难行的山区或深入拥抱森林，都可以洗净心灵与振奋精神。当我们的心灵被洗涤与被鼓舞后会发生什么事？我们能与内在自我重新连线，整个人有了重生的感觉。森林一直以它的庄严与神秘让我们感到振奋，它们真是圣殿。在森林中，我们能深切地了解世界是圣殿的理念。

森林是一个特别的地方，它有着无比的善意与慈爱，它不为自己的生存做要求，但能慷慨地提供舒适的环境给生活在它庇护下的全部产物。

它提供所有的生物以保护与庇荫，即使是那些砍伐它的人。

(三)享受宁静 Eajoy The Quietness

宁静、灵感有着数不尽的创造力，所有伟大的作品都是在宁静中构思出来的。沙漠中的宁静，帮耶稣寻找到重建人类的道德；菩提树下的宁静，日夜包围着佛陀，在他寻求领悟的过程中。伟大的艺术作品，在它们被刻在大理石上、画在帆布上，或写成诗前，都是在宁静中构想而成的。伟大的思想通常都在孤独中酝酿而成，在它们化成语言文字前都已思考许久。

生活在琐碎的、缺乏宁静与反省的空间整日不断地匆忙劳累，使我们丧失了宁静与生活的意义。

你能修炼瑜伽，借着重新发现宁静的好滋味，这是一个很简单的方法，但不容易。我们已允许自己将持续不断的噪音视为平常，也允许自己将心灵的混乱视为不可避免，我们已失去享受宁静的好习惯。我们需要重建这种好习惯，借着开垦干净的空间，意志坚定地将所有过多的噪音与杂乱排除。

宁静是重获人类意义的必备状态，宁静瑜伽创造一个环境，能让你深入生命的祥和境地。

(四)良好的倾听 The Realization Of The Yoga

倾听瑜伽是控制你的自我，它不只听到它想听的。倾听瑜伽并不是压缩你的自我，而是将自我更为扩展的活动。倾听是一项人类的资产，它的美在于我们能完美地对准频道，以接收他人的音乐。

当两个人结合在听与说的沟通中，是一件很愉快的事。当人们彼此仔细倾听时，就会有特别奇妙的事发生。在提供别人自由的空间时，你也对这伟大的神奇有贡献。

良好倾听的第一件事，就是决定要好好去听，然后仔细地听，精神要集中在现场，要体恤对方，给对方空间，也给自己空间。

四、命运的瑜伽
The Fate Yoga

我们对自己思考的内容与方式负责，
因为我们对自己所做过的无数行为都有责任，
透过它们，我们塑造个人的宇宙；
因为它们，我们成为了命运的创造者。

(一)创造自己的命运 Create Your Own Fate

我们常说种瓜得瓜，种豆得豆，这也就是佛家说的因果，我们所有的行为都会带来相应的结果，恶因种恶果，善因种善果。基督教传统上也认为：耕耘必有收获，这也是因果的意义。对佛教、印度教与基督教传统而言，因果的主要意义在道德上，道德上的恶因必带来恶果。

然而，因果所涵盖的含义，并不止于道德范畴。瑜伽里说，每件我们所做与所想的事情，都影响着我们的生命及周围的世界。生态因果是广义的因果论，它源自于相信我们对生命所应负起的责任。思想与心灵活动将对命运造成巨大的影响，也就是你想的是什么，做了什么，你的生命就会是那样，你的命运是由你创造的。

(二)善用时间 掌控命运 Control Your Fate

一般人一生中多数的时间都没有什么特别的计划和盘算，所以浪费了许多时间。但是，世界上有什么东西比“时间”更宝贵呢？我们的生命是一段时间持续的过程。既然生命是由时间所构成的，那么浪费了十五分钟，就是缩短了十五分钟的生命。能够领略到时间之重要性的人，多半是事业成功、在社会上占有一席之地的人，他们知道只要有活用时间，就没有做不成的事。

时间的流逝是眼睛看不到的。因为看不到，所以容易被忽略和遗忘。譬如，有人抓了大把金币沿路撒去，一定有人觉得好可惜，想要跟在后面捡；可是如果丢的是时间，就不会有人跟在后面捡，因为时间是看不见的。因此，就算有了时钟可以把时间测出来，甚至倒转了时针，却也追不回已逝的时间。

每一个“现在”都转眼即过，如果不能好好地把握，那么即使是活着也像是没有生命，所以，不管什么时候，都要把“现在”当作是决定自己命运的重要关头。

平常应该如何善用时间呢？瑜伽教我们最好用“敬拜”的心念来使用它，用“诚敬”的心来使用它。就像时间是一个神灵，它能流动都是一个神圣的过程，所以我们更应该以“敬拜”的心念来使用它，无论如何，要爱惜时间。如果光从实际的利益上来算，若认为把时间浪费掉太可惜而去爱惜时间，也未尝不可，但如果更深一层去思考它，便会觉得日复一日活着都是神所赐，都值得感谢！能这样想，就会由衷感谢我们所处的境遇，然后觉得时时刻刻都是无比的宝贵，也就很自然的不会浪费时间了！拾起了每一点的时间，我们的命运自然会有许多一次比一次好的转变与机会！

(三)感受谦恭与礼善 Realize Modesty And Politeness

想要使命运转好，一生过得平顺，除了必须常讲好话外，也要使身体动作看起来亲切有礼貌才行。有些人会觉得对人恭敬就像是自己吃亏一样；有些人则认为当人家的下属是件很难为情的事。事实上，这些都是错误的想法。

世界上大部分的人都认为，表情、动作都很谦恭有礼的人，通常都是很了不起的人；相反的，一个常被说是没出息、说话没礼貌、不懂打招呼的人，一定会受到轻视，再加上言语、动作粗鲁，这种人的命运多半不好，公司如果雇用这样的职员，想必不会发展地很好。因此，一家公司或一个团体要繁荣，首先就要好好训练员工。

误以为虔诚有礼、对人家低头是种屈辱的人，首先必须学习站在镜子前面，对镜子微笑，恭恭敬敬地行个礼。当你真心诚意地这样做时，便会发现自己看起来不但很高尚，并且显得气质不凡。一个能改变自己不好行为的人，是很值得尊敬的，这样的人连自己都会喜欢自己。

即使本身拥有很了不起的才能，内在很丰富，但言语、行为、态度都很笨拙的话，便无法充分表现出你的内在价值。食物就算再美味，但外表看起来却脏兮兮的，相信没有人会想去尝试享用它。同样的道理，不管你拥有多么优秀的才能，如果你的言语态度缺少谦恭和礼貌，就无法受人尊重。

所以最重要的，还是培养一个亲切的心怀，心是最重要的！每天都要注意使自己保持这样的心情，心里随时都要想着“要使每一个人心情快乐，要使每个人舒舒服服，绝对不让任何人心情不愉快”，如果心里能保持这样的信念，每天都能留意保持这样的心情，那么你的言语很自然地就会变得温婉亲切，不管对谁都会产生好感。

YOGA

The yoga does help you rebuild your a-ok figure

五、动力的瑜伽
The Dynamic Yoga

生命是值得庆贺的大事，
让我们选择可以获得生命之美的力量，
透过希望、想象、勇气与决心，
我们选择了一个自我赞颂的生命。

(一)播种希望 The Cherish Hopes

希望是重新确认我们对人类生命意义与宇宙本质的信仰，希望是所有意义、奋斗与行动的先决条件。拥抱希望是一种智慧，放弃它则是一种愚蠢的行为。

希望是每天支撑我们的养分，也是心灵与灵魂的勇气。希望是隔离生与死之间的那道光，希望的逻辑就是肯定与一致的逻辑，它是同情与勇气的逻辑，也是责任的逻辑。所有这些特质就是生命构成的原料，也就是生命之所以存活、散发光辉、保持宁静与维持和谐的因素。

希望是勇气，勇气并非盲目；希望是肯定，肯定并非愚蠢；希望是责任，这个责任排除了疯狂与全然不可能的冒险。

(二)激发勇气 To Show Bravery

勇气存在于我们内心一个隐藏的角落，它支持我们寻求意义。勇气是成为人的一个必要条件，没有勇气，我们不能写诗，思考新的哲学，或想出新的科学理论。每一次人类精神或心灵的新发展，都是勇气的一种表现。

勇气是我们行动与想象的燃料，那些没有足够勇气的人，是剪断了自己的想象之翼。想象或远见是梦想新的、非凡的与伟大事物的勇气。新事物不会拜访我们，除非我们有勇气敢去做梦。我们个人的生活亦是如此，如果你从不想象自己是个有勇气的人，能够去完成事情，为自己追求一个有尊严与美的人生，你就不能有美丽而尊严的生活。

在宁静与勇气中，我们能想象新的世界在我们踽踽独行的飘摇的人生路途上，一股燃起的勇气，能激励与振奋我们继续往前。

勇敢的敌人之一是害怕，它使我们渺小，它使你退缩到自己可怜的小壳中。勇敢的另一个敌人是过去失败的记忆，你感到害怕，因为过去你曾失败。而过去你曾失败，是因为你没有足够的勇气，没有坚持的勇气，没有走出来将不利转为有利的决心与勇气。有勇气并不意味你将永不失败，而是站起来，抖掉尘埃，微笑着继续前进，坚持下去，并再试一次。

(三)开启想象 The Open Your Mind

如果上天给你双眼，但你从不好好睁开看，那你就是半个瞎子。如果你有想象力与洞察力，但从来不用，那你就将在黑暗中摸索。有一个更深的真实值得去沉思：当我们想要变成什么样子，就能成为那样。那些想到神的人，就成为神。

我们的想象力就是带着我们飞往新领域、新事实的羽翼。这种在想象中看见的过程，就是想象技巧的一部分。没有想象的话，我们经历的是一场慢性的心理死亡过程。想象对行尸走肉的人不需要，但对一个受到启发的人而言，却是重要的。

想象是一项伟大、无价的资产。它超越理性，像神一样，想象的天赋使我们能看穿所有可能的界限。

第三章

生命的瑜伽

——追寻根源，养护生命

THE VITAL YOGA

To search the spring and maintain your life

生命之美——时时提醒自己，生命是多么奥妙，
而你自己是一件多么神奇的创作。
看着你居住的世界，并有勇气对自己大声说：
我居住的世界是多么神奇！
我看到的是多么不可思议的旅程！
我感谢生命带来的礼物！

一、瑜伽唤起调和，回复身体本能治愈力

Yoga—— Arouses The Ability Of The Self-regulation And Self -healing

古代的医学记录上说，人类与动物一样，只在本能的医学，因而治病易愈。直到人类的文化逐渐提高，不自然的生活渐多，本能的自然回复力也随之低落。

生命的活动，是借适应性以保持其生存的。人类因智慧的发达，知道了如何保护自己的方法，发明药及治疗方法以扩展生存圈，但生命的适应性对那些药及治疗法也一样发生作用，所以经常用药或注射的结果是，没有了药或注射所发生的作用，便没有之前所活跃的原始本能力，也就是调和回复力逐渐削弱了。

但生命的适应性是可随时增进的，虽然本能力量削弱，但它是我们与生俱来的、任何人都潜有的一种力量，自能使之强化。瑜伽行法的目的，就是在于此，它唤起本能的生理运动即调和回复力。当身体在休息、松弛或睡眠时，都在自然的进行。动物在运动后产生疲劳时借松弛筋肉与睡眠而能自然回复。但人类却不能这样简单，不能自主的睡眠或松弛，便是因为不能自然的生活。我们随着身心的所感而活动、而生存。所有我们的生活，完全由这感受性的倾向所支配。疾病与健康绝不是对立的。瑜伽，就是矫正、调整身体形成感受性倾向的习惯，唤起我们身体内在的调和潜能，回复我们身体最佳的活力。

二、以心灵的和谐来治疗身体

Harmony Of The Mind And Spirit Help Convaiescing

瑜伽是“体位法”（调身）、“调气法”（调息）、“冥想法”（调心）三位一体的实践法。其卓越的效能到底是基于何种原理而出现的呢？

瑜伽是站在我们的生命与身心如一的原理所构成的前提上。当心情因为压力而不稳定时，一定会对身体造成不良影响。心中所想的事情，不只是一种观念，一定会透过神经或荷尔蒙系统，对身体产生作用。长久以来，错误的生活习惯、不良的姿势等，身体蓄积的恶习，会导致精神焦躁、不稳定，而且极易形成疾病。例如：暴饮暴食、抽烟、压力等导致胃溃疡，这是大家所熟知的。

相反的，瑜伽的教诲认为身心一旦与身体的法则、真理（法）合为一体，待完全调和之后就不易罹患疾病。

但是，现代人对于疾病的认识有一些错误，认为疾病是部分的，只要治好某个部分就能痊愈。现代医学认为罹患疾病时，是以对症疗法的治疗为主，大都容易倾向药物的条件或外科的处置而

已。相反的，却很少去追寻疾病的原因、心灵的压力，或找出应对的方法来加以消除。

生命是基于身心如一的原理而构成的。所以，身体和心灵合为一体，光是治疗身体，没考虑到心灵的影响，其实两者之间具有密切的关系。各位一定要确实了解这一点才行。

三、瑜伽——诱导睡眠的良方
Yoga ——The Recipe For Sleeping Well

身体如不舒泰则不能入睡，要睡得好，必须采取最舒泰的姿态。

瑜伽的一个大特色就是强调放松地生活，宽心地生活，所以修持而使身心放下，最为重要。

放下身体，是指调和身体不受刺激，不做异常的动作姿势。放下心灵，则指不受钳制，不受牵挂，不受拘束，不固执拒绝或要求，保持以一切为善的观念生活，而这些正是睡眠或舒泰秘诀。

睡眠时，脑波的焦点从后部移向前部，眼球翻向外上方，身体松弛，大脑的紧张消除，呼吸舒缓。如欲进入睡眠，必须离开主观专想客观，或联想些愉快的事，或将注意力集中于数字上，或进入无心状态。睡前多念如“现在要睡了”这样的话语，也会有很好的效果。

睡时，手或头是渐冷，双脚是渐暖的。所以头脑的血压不下降，则不能入睡。头、胸与背部的筋肉容易疲劳，所以睡前如借瑜伽体操使之松放也能安眠。

假如躺在床上，而杂念产生，或亢奋不能自已时，利用自己暗示向自己呼唤，也是一个很好瑜伽的方法。

例如：将头渐下，向自己发出“安静！安静！”的命令，而且卸去劲力，有意识地感觉凉爽轻快的心情。这时向自己呼唤的话，必须缓缓地、静静地、沉着地，呼吸也必须宁静而深沉。待完全舒泰时，能感觉筋肉的紧张部分在哪，再静静地抚摸，或静静地摇动这个部位，紧张就能缓和。

感情与筋肉的弛张是正比例的，所以总想着什么问题便不能松弛，所以要有忘掉一切的必要。要忘掉目前的问题，只要另想别的愉快事情便成。

四、瑜伽——进入舒泰的捷径

Yoga—— A Shortcut To Be Happy And Heaithy

当神经疲劳、毒素累积、血糖不足时，当有了正、反、对、错的命令等待时，就会发生故障，这时需要解除神经的疲劳。然而仅是休息还不能完全祛除身心的疲劳。完全的休息，必须有不受任何事物妨碍的环境、不受任何杂念干扰的意念。如果意识向别的方面活动或向外有所要求就会产生愤怒，有了什么欲求而奋起或期待则产生不安，被“自是”的思想所牵制则产生勉强等。

瑜伽中有与一切社会绝缘，独居深山过冥想生活的一种行法。这样的生活，不必给人看，也不会让人看到，它让我们能够静静地观察完全赤裸的自身姿态，能够自然地观察毫无所求的、自我的真实。在这种心灵状态下，就能认为一切都是必要的存在而欣然接受，保持任何事都能做到的自信，视一切皆善，只去想愉快的事物，抱着在任何事物中都能发现快乐的心念，这样，我们终能发现舒泰的身心，自然会使人回复正常，获得身心的平和、宁静与舒畅。

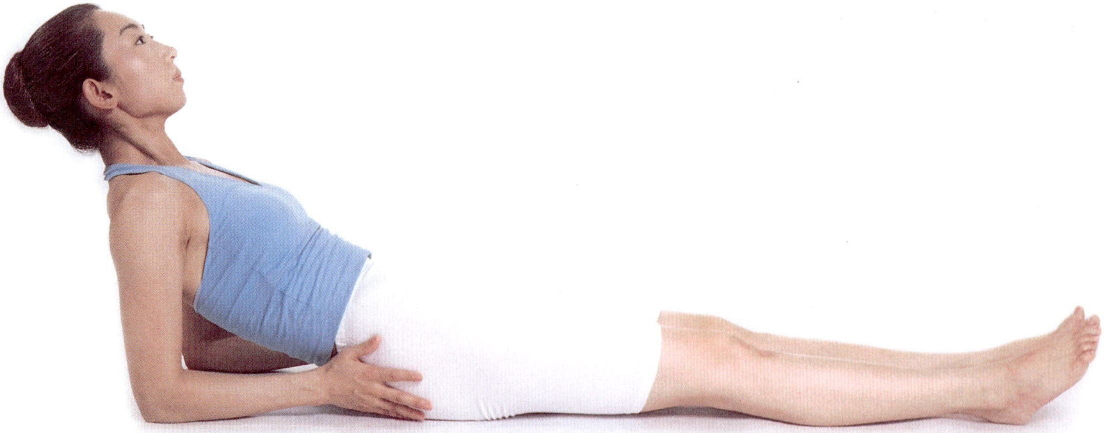

第四章

生命之泉

——瑜伽呼吸法

THE SPRING OF LIFE
the means of the breath of the Yoga

在美中漫步，
不代表有着在水上行走的能力。
而是在你的眼睛凝视远方星辰，
你的心也热切地跟着其他的创造物呼吸时，
仍坚定地踩稳步伐向前迈进。
“美中漫步”是个现代用语，
等同于传统基督教所说的：
“活在恩典中。”

一、瑜伽的呼吸原则
The principles of the breath of the yoga

(一) 呼吸——伟大而神秘的力量

依据瑜伽的“呼吸哲学”，人类须进行完全的呼吸，才能充分支配自己的肉体，增加精神力量，将被视为生命气的精气不断地输入体内，使人体活力充沛，更显年轻，同时可充分开发潜存的能力。

呼吸作用，从生理上解释，是使血液摄取空气中的氧气，而且使所吸收的营养素起氧化作用，同时使各部分的疲劳物质得以更新。所以呼吸作用若不完全，疲劳物质停滞体内，血液吸取养分的作用也随之停止，不但损害健康还会影响寿命。这生理学上的解释，是谁也不否认的。但除此物质的一面，自古以来都认为呼吸还有更神秘的一面，对人类身心的影响，尤为巨大。这方面的理论，虽是众说纷纭，各有出入，但一致认为空气中存在着一种实体，是人类一切活动与生命力的源泉。瑜伽认为这种实体存在于一切生命体中，但它不是物质而是空气中一种非化学元素，它有一种伟大的神秘力量。空气中的氧气为血液所摄取，发生氧化作用，同样空气中的这种非化学元素则为我们的神经系统所摄取，也同经血液，通过神经系统而分布于全身，给人以生命力与活力。

古代真人所提的“以踵呼吸”或先前哲人所说中的“以脊呼吸”，似乎都已经注意到了精神作用与呼吸之间的关系。各国语言中“精神”一语，都包含着“呼吸”的意思，如英语的“Spirit”,法语的“Esprit”，中国与日本的所谓“气”，莫不如此。

人类生命的种种现象，与呼吸有着密切的关系，视呼吸的调整如何，能使人延长生命，也能使人缩短生命。瑜伽的先达们，所以发明适应人类生活的各种瑜伽呼吸，即是基于此。

(二) 借着呼吸调节心态

观察一个人的呼吸方法（表现成各种类型的），就能够知道那一个人的心理状态。例如：无忧无虑时，呼气有劲；失败或恐惧时，吸气有劲；满足时呼气热，不愉快时呼气冷。愤怒时的呼吸，是短浅粗暴的。我们如果常常作深沉安静的呼吸，心情也自然安定下来。

这样，随心理状态的改变，呼吸的方法各有其独特的类型。瑜伽应用这一原理，练习使自己能自由控制呼吸的形态，发明了种种调节心理作用的方法。

为什么借呼吸法能调节心理状态呢？因为人类的呼吸，是腹压与胸压交互运动的自然作用。再则，人类的生存，是对刺激的呼应及适应。有了刺激时，首先与之呼应的是交感神经，交感神经为收缩神经，亦即昂奋神经。交感神经是以Adrenalin（副肾素）及Nor.Adrenalin为武器的。这一神经与这一内分泌液发生作用，能增加血糖。换言之，血液酸性化，使血压提高。所以这一神经的昂奋状态与内分泌液的分泌状态如果继续下去，会使血液偏向酸性，成为病原菌的温床。同时，因筋肉硬化而容易疲劳。神经昂奋到达高潮时，神经便发生麻痹。这样的状态，时间一久，会使身体的活动和心的活动都发生紊乱。

而呼吸的自动作用，即如上述，是借交感神经与副交感神经的平衡以训练呼吸，使副交感神经的作用灵活。一旦受了刺激，当交感神经引起昂奋作用时，立即能借副交感神经的作用回复平衡，因而经常保持平静。

因此，把握呼吸是把握人生的秘诀，唯有能驾驭呼吸、调整呼吸的人，才能主宰一切。

下面将介绍几种呼吸方法，从最原本的的呼吸开始，唤起体内的潜力，以掌握自己体内的律动，促使头脑保持清晰的思维，来达成身心的完全合一。

二、瑜伽呼吸法
The ways of the breath of the yoga

(一)完全呼吸法

婴儿呼吸既长且深，吸进后将所吸进气体保留一回之后，方才长长的呼出，而且呼气时非常用力的吐出，这与动物的呼吸一样。所以瑜伽的呼吸法中，以动物命名者甚多。如虎之呼吸法、乌龟呼吸法等。

这些自然呼吸法，也就是婴儿的呼吸法，称为完全呼吸法。它是使肺脏的各个部分及与呼吸作用有关系的所有筋肉活动的呼吸法，运用这一呼吸法最重要的一点，是使与呼吸运动有关系的筋肉，能得到充分的而且完全的活动。

[方 法]

1. 直立或正坐。
2. 吸息。①先吸入下肺。这时横膈膜下压，腹部自动前突。②将肋骨稍稍张开，使空气进人肺的中部。在这期间，胸部稍微鼓出。③肺部的上部鼓出，吸入空气。④最后将肩头往上耸，让空气进入锁骨部。这时下腹部微凹，使空气能充满肺部的上部。这是一个连续性的动作，其要诀是一面吸息，一面将自横膈膜至锁骨的胸腔，随吸气而依次静静地扩张便行。
3. 接着将气体慢慢的吐出，然后保留气息。其要 诀是将充塞于肺部中的空气，在排气的同时压入下腹部。这时须将舌尖抵住上腭，将意识集中于一焦点。
4. 吐息。吐息时，感觉如同将腹部压缩，而将空气压出。吐息时须将力量用在脚与腹筋上。姿势稍作前俯状。
5. 吐息约八分，还剩二分时，放松腹与脚上的力量，慢慢将背伸直，空气则能自然地再进入体内。

(二) 把握旋律的呼吸法

宇宙间的一切，都是“加”与“减”的旋律活动。所以一切的东西，都有着旋律。把握住事物所持有的旋律，便把握住了事物的内在。当旋律协调，如手足的动作与呼吸的旋律一致时，就是我们所说的身心合一。例如赛跑，脚的动作与呼吸的旋律一致，才能持久。

[方 法]

1. 全身放松，以舒泰自然的姿势正坐，使胸部与头成一条直线，两肩微向后耸，两手轻置膝上。
2. 作完全呼吸吸气，保留气息，把持脉搏，数脉搏跳动六下，然后用鼻一下一下吐息，持续时间为脉搏跳动六下。
3. 呼吸与呼吸间隔为脉搏跳动三下，稍稍休息。
4. 以上动作反复练习。

用这一方法练习，要到获得一定的旋律为止。到了这一阶段，全身便能感到生命的旋律。呼吸间的脉搏数，也能逐渐增加了。

(三)促使头脑清晰的呼吸法

脑神经最能明晰地活动的条件有:

(1)拥有充分的氧、乳酸、谷氨酰酸、维生素等营养素，减少废物。

(2)身心舒泰，不使之疲劳、硬化。

(3)昂奋、抑制的两神经，使之有高度抵抗。

(4)对事情有兴趣或关心，注意力集中练习使头脑清晰的这一呼吸法，需要身心的缓和，脑部的血行畅旺等等。

[方 法]

正坐，脊柱挺直，双手掌朝上平放大腿上。保持此姿势，仅头部作前后律动的俯仰。俯时下颚抵胸，后仰时后头部抵及脊椎。反复数次。

①

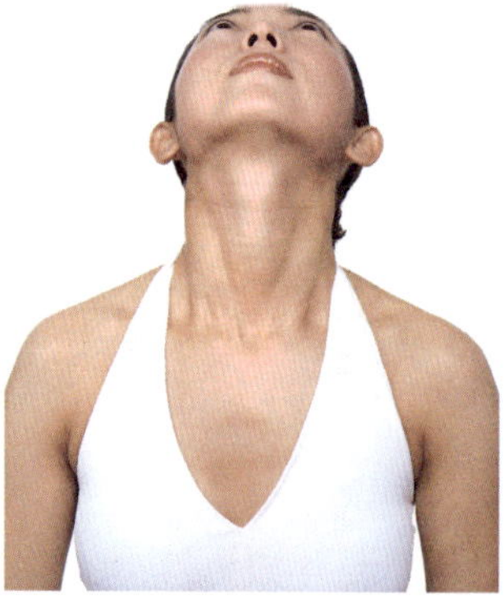

②

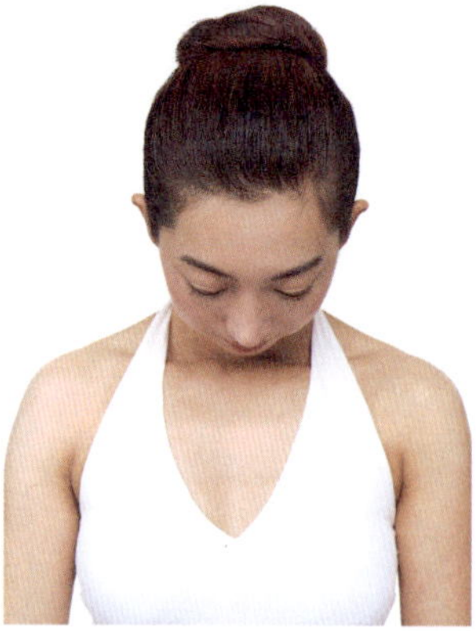

③

1. 头后仰时，两鼻孔发声，深深吸息。
2. 头前俯时，微张口从齿间发声吐息。
3. 上仰动作，如钟摆的样子由前向后，由后向前，作律动的动作十次。十次之后稍停。
4. 再继续上仰动作十次。

这一呼吸法应特别注意：只能头部前后俯仰，全身绝对不可动，尤其脊柱，必须挺直保持着不动的姿态，只许头部作旋律的俯仰，而且必须集中意念。

(四)身心统一的呼吸法

所谓身心统一，是指心理的、生理的作用统一于一个中心，这个中心，便是丹田。

[方 法]

做站立姿。脊柱挺直，两脚分立至与腰同宽，脚尖平行。注意力集中于脚拇指，以保持臀部力量，感觉上如用两只脚支持上半身。

1. 握拳，两手后伸。
2. 作完全呼吸的吸气，保留气息于胸中。
3. 将两腕瞬间前伸，同时弯曲两膝。这期间，气息不可吐出，将手腕回复原来位置，在后方扭拳，两腕运动须保留气息反复共进行三次。然后将两腕在侧面下垂，伸指。
4. 用力吐息，同时放松全身。

这一呼吸法应特别注意：曲膝时两膝必须贴紧，上身不可弯曲，眼睛凝视一点。

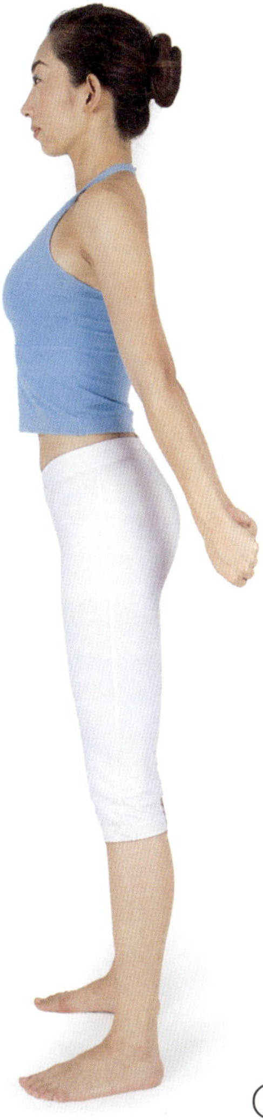

①

②

（五）强化且改造观念要素的呼吸法

观念引导我们的思想、行动的方向，所以保持好内容的观念，至关重要。换句话说，观念就是创造命运的主宰。有句话说：三界乃唯心之所现，唯心，就是指观念。

我们的神经容纳一切作为自己的东西，所以具 有教育的性质，观念是习惯化了的意识。要使好的意识作为自己的观念，必须反复强化而使它成为习惯，强力地反复意识，则形成观念的力量愈强也愈快。

呼吸法是改造观念内容的方法之一。

［方 法］

1. 张开手指，将手前伸，完全卸去体力，吐息。
2. 吸息，同时自以为抓住目的物而握拳，强力地、肯定地 将拳置于腋下。
3. 闭目，保留气息。将目的物或企望的事情映像化，使它映现于眼睑上而凝视它。同时对自己的希望给以必能实现的极强烈的暗示和肯定。
4. 从嘴里用力吐息。
5. 放下手腕，静静地放松全身，进入禅定，心中强烈地念着目的之实现象。

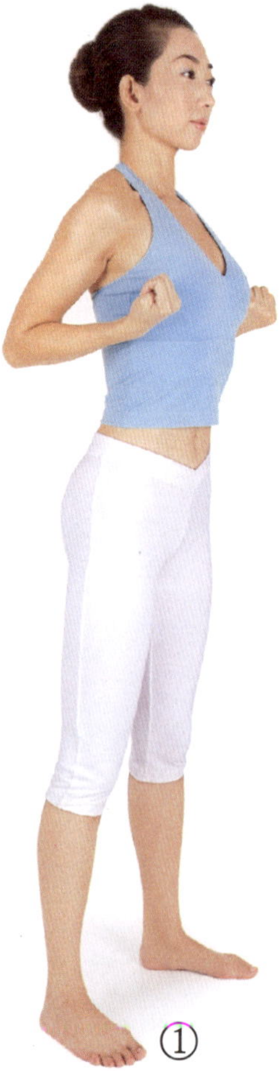
①

②

(六)返老还童的呼吸法

老化的特征是萎缩、硬化。要保持青春，必须防止这两种倾向，保持身体的柔软性与伸长性。人的身体最容易萎缩的是筋肉。骨骼与内脏也会发生变化。疲劳时，也会出现硬化及萎缩。

这一呼吸法的特征，便是伸展筋肉，同时使腰部柔软。

[方 法]

1. 两手叉腰（拇指朝后），作完全呼吸。
2. 将全身力量放在腰部与脚部。保留气息，同时将颈向前尽力弯曲，并将脚的筋肉尽可能伸展。弯颈时，要有被向下拉的感觉。
3. 颈回复原位置，从口用力吐息。
4. 吐息完毕，胸腔作空虚的留气，反复做腰部向前后弯曲的运动。
5. 直立吸息，两手自腰放下，休息。

第五章

曲影瑜伽

THE LANE OF QUYING DOING THE YOGA

健身房

瑜伽的体位法不是体操，
而是瑜伽独特的姿势和动作。

我们生命的正常或异常，都表现在我们的姿势与动作上。调整一个人的姿势与动作，能使其内在的活动归于正常。瑜伽的体位法，就是运用各种独特的动作，借以调整姿，刺激头脑、筋肉、内脏、神经、荷尔蒙腺等，使健康者益臻健康，同时矫正异常成为正常体。

现代人的生活中，只有局部身体在使用，如不调整姿势，就会产生使身体活动歪曲的、无意识的活动。这就是形成体内异常的压力因素。

瑜伽的体位法，就是组搭成种种姿势，动用平时不使用的筋肉，借刺激未使用部分的筋肉而防止其退化萎缩，使血液能满布于全身，注入新的活力的一种方法。体位法中各种类型的姿势，一举手一投足，都能使之合乎保持健康、修养身心的原则。

下面所述的，就是瑜伽各种类型的姿势，详记其训练方法、目的及功效。若能专心练习，持之以恒，会有意想不到的功效。

一、调整自律神经，排除身体干扰

To adjust your self-discipline nerve and avoid the body's interference

1 改善失眠

现代人日常生活的节奏，往往与大自然的节奏失调，生活在大都市的人，最容易得“失眠症”。此症状是因生活违背了自然的节奏，而使自律神经异常所引起的。

失眠是一种持续相当长时间的、睡眠的质或量令人不满意的状况，常表现为难以入眠、不能入睡、维持睡眠困难、过早或间歇性醒来而引致睡眠不足。失眠是一种最常见的睡眠紊乱，几乎每个人都有过失眠的经历。随着社会的发展，生活节奏的加快，失眠症的发生率有上升趋势。据统计，约有30%的成人患有失眠。睡眠充足是最佳的美容圣品，睡眠不足对身体的健康有很大的影响。比如它会令人精神沮丧、胃口不佳、工作效率减退、疲倦等等。如果午餐后能有半小时午睡，则对身体助益很大。一般生活在都市里的人们常因生活紧张、压力大造成失眠或睡眠不足的现象。

膀胱经之经络与自律神经相同，皆经过背部，所以调整膀胱经的混乱之气，即可使异常的自律神经恢复正常。失眠症的种类可分为:

1.入眠障碍型。

2.凌晨清醒型。

3.睡眠品质不佳型。

4.失眠神经症型。膀胱经的伸展运动最适合解除上述的症状。

鱼的姿势因使背骨向后弯，头顶靠在地面上，可刺激头顶上的要点，可将血液送往头部，消除及柔软头部疲倦、紧张的神经，可以促进血液的流畅，消除脖子和肩膀的酸痛，显著地改善失眠。做鱼式后再进行瑜伽呼吸法，可调整膀胱经之气的经络，此后不需“数羊”即可入睡，而且早晨清醒时会觉得很舒服，整天都充满活力与朝气。

FISH 鱼姿势

步骤 STEP

1. 双脚向前伸直，双手置于膝上。
2. 躺下，双肘托地，腋下紧缩。
3. 吸气，以双肘托地，胸部向后仰，使头顶着地，突出下颚。保持此姿势约呼吸五次，吐气，慢慢回复原来的姿势，接着调整呼吸。

要点 POINT

重心放在头或颈部，而非手肘。两脚并拢不要朝外，膝盖要伸直。

功效 EFFICACY

刺激并协调脑下垂体，促进性荷尔蒙及副肾荷尔蒙的分泌，改善失眠。

THE DISTORTION POSE OF FISH

鱼式变形式

步骤 STEP

1. 采取正座坐姿。
2. 左、右肘托地，上半身向后仰。
3. 仰卧，双肘竖立，腋下紧缩。吐气，以双肘托地，使胸部向后仰，头顶着地并突出下颚。保持此姿势约呼吸五次，吐气，慢慢放松全身的力量，调整呼吸，交换盘腿的位置再做相同的动作。

①

要点 POINT

当身体向后仰时，必须利用手肘使身体慢慢向后仰。有晕眩的现象，立刻停止动作，采取休息姿势。

功效 EFFICACY

调整自律神经之平衡，对解除头痛、解除失眠及烦躁有疗效，并可扩大胸围，矫正驼背。

②

③

②调理更年期不适

若遇某些社会心理因素，使更年期出现某些神经症状，再加上各种不同躯体症状，我们称之为更年期综合征。

更年期的心理障碍多表现为情绪不稳定、心情烦躁、易激动、紧张、多疑、强迫、兴奋、焦虑、恐惧等情感障碍。总之，更年期的生理变化是复杂的，而心理变化过程既复杂又持久，有时这种心理冲突虽已被意识到，但不能自拔。另外，对更年期心理症的预防与治疗是同等重要的，所以应尽量减少社会心理因素对处于更年期阶段人士的刺激。

LION 狮子式

步骤 STEP

1. 以莲花坐姿，双腿盘坐。
2. 初学者可使用单盘坐姿即可。
3. 双手放在膝盖前方，吸气抬起臀部，并用双膝支撑。
4. 以盘腿的方式，腰部往下陷，上半身向前，下腹部贴近地板，调息。
5. 收下巴、睁大眼睛、吐气，舌头尽量伸出。
6. 吐完气，收舌头，从鼻孔吸气，还原。

①

要点 POINT

初学者若无法盘腿坐，单盘即可，不必勉强；动作完成后，脸部的表情夸大 些，效果更显著。

功效 EFFICACY

此动作中因背筋充分地伸直，可矫正后背的脊梁歪斜，使心情舒畅、愉快，还能调整自律神经，促使荷尔蒙分泌的平衡，使焦躁的心情逐渐稳定。由于唾液腺荷尔蒙的分泌，因此还有消除鱼尾纹及美化肌肤的功能。

②

③

THE LANE OF QUYING DOING THE YOGA

3 解除压力

压力是现代人生活中最大的“通病”，当遭遇压力而无法缓解时，可能会出现心跳加快、呼吸困难以及胸部疼痛等现象。新的研究证明，心理压力可使血压升高，压迫心脏的冠状动脉，使之产生痉挛，增加血中不良物质含量，造成血凝块，日积月累还会导致冠状动脉硬化及心肌衰弱。

以缓慢的步调，每天进行下列瑜伽实践，可以舒展全身部位，打通血脉和筋络，调节各器官，并能去除全身紧张，使呼吸变得平缓，从执着和精神紧张中解放出来。同时，脑中会产生β内啡呔这种健康所需要的荷尔蒙，使身心都能获得释放，并使得全身平衡、调和。

SINGLE LEG'S POSE

单脚举腿式

①

步骤 STEP

1. 双脚并拢站立，合掌于口前。调整呼吸之后让意识与精神统一。左手放于腰部，一面吐气一面弯曲右脚，并以右手抓住右脚尖。
2. 吸气，右脚朝前方伸出。
3. 吸气，右手将右脚向右拉开。
4. 右手朝右上方伸直，以保持身体的平衡。以此姿势自然静止约呼吸五次，右手收回腰际，右脚移至前方，慢慢着地。合掌，调整呼吸。左右各做三次。

要点 POINT

腹部施力以保持平衡。支撑体重的脚、抬高的脚以及双手必须伸直。

功效 EFFICACY

由于保持平衡，故可矫正脊椎，促进内脏机能运作，治疗烦躁、解除压力。

②

③

ANTENNA 天线式

步骤 STEP

1. 跪坐，背部伸直，下鄂收缩合掌。缓慢吸气，双手合掌置于胸前。
2. 慢慢吐气，放松双手的力量，慢慢向上举高，手张开与肩同宽。看上方，意识集中于双手指尖。
3. 一面吸气，一面由拇指至小指依序握拳，手下放至与肩同高。头向后仰，挺胸呼吸。

4. 双手交叉于背部，身体往前弯下，手举上方，吐气，将额头靠在双膝前，腰不可浮高，下鄂突出，脊柱伸直，手臂尽量抬高。吸气，挺起上身，然后还原。

④

功效EFFICACY

调整自律神经，解除烦躁、不安感等情绪不佳的症状。

⑤

4 消除疲劳

当疲劳积存焦躁时，脑会分泌肾上腺素和降肾上腺素等毒性较强的脑内荷尔蒙物质。如果分泌太多的话，会使血管收缩，血液循环不顺畅，同时产生活性氧等，加速人体老化，因此容易引发癌症等各种成人病。当天积存的疲劳就要及时地去除，也就是说不要让导致疾病的物质积存下来，并加以消除，才是与疲劳好好相处的方法。接下来的各种瑜伽实践，只要每天深入地进行，就能够将全身的疲劳去除，使身体变得轻松，产生爽快感，使心情愉快、稳定，而且干劲和忍耐力、记忆力增加，每天能够更新身心，产生新的能量。

THE POSE OF REST 休息的姿势

步骤 STEP

1. 铺上薄垫被，躺在地板上就可以，或盖上一层薄纱。两手、两腿约打开四十五度，以最舒适的姿势躺着，放松全身的力量。碰到不能入眠的夜晚千万别焦躁，不妨对自己说：“放松右脚趾的力量，再放松足部的力量……”从足部开始，至腰、手、肩，徐徐地放松全身的力量。
2. 放松颈部的力量时，把颈部朝左右运动。如此做了约十次，就会打呵欠。只要继续做数次，颈部的紧张就能够完全地消除。脸上带着微笑，吐气要长，要缓慢地呼吸。或者平躺在地板上，全身放松，双手、双脚略微打开，在颈处垫一个毛巾卷，将手帕轻轻盖在眼睛上。再用圆枕垫在膝盖关节下，但必须使你感觉到非常舒服。

要点 POINT

如果种种的妄想陆续出现，以致睡不着的话，那就在脑中描绘一朵你喜欢的花，轻松的看着它。坚持十五分钟，你会得到意想不到的效果。

功效 EFFICACY

放掉全身的力量，减轻心脏负担，使神经和筋骨舒畅，让疾劳的身心得到休息。

5 调整自律神经失调

由职场工作的不顺心引起的悲观，或因人际关系骤变所引起的精神上紧张感，以及因失恋等事件使得大脑紧张与迟缓的自然节奏失衡等等，这些因为精神上的失调而引起自律神经功能失调的人，目前越来越多。得此困扰的人们通常感到无力，并有晕眩、恶心等症状，甚至产生内脏疾病等。

其实，遇到这样的状况，正是认真检讨自己的目标以及生活模式的最佳时机。在瑜伽哲学中，强调每个人都拥有天赐的生存意义。所以，我们可借由冥想来重新检讨人生的目标，“金字塔姿势”可刺激头顶的百会穴，调整膀胱经，调整我们失调的神经，以消除负面心理的影响，使我们能充满活力地生存。

PYRAMID'S POSE 金字塔式

步骤 STEP

1. 背部挺直，双脚站立与肩同宽。缓慢调整呼吸，双手压在膝上。平静地吐气，手顺着小腿下降，上半身向前倾。
2. 避免驼背，双脚分开使头向地板，双手紧握脚踝。保持此姿势，约呼吸五次。

①

②

小帖士 百会穴既是长寿穴又是保健穴，此穴经过锻炼，可开发人体潜能，增加体内的真气，调节心、脑血管系统功能，益智开慧，澄心明性。并能治疗头痛、眩晕、脱肛、昏厥、低血压、失眠、耳鸣、鼻塞、神经衰弱、中风失语等症。

3. 双手放开脚踝，置于背部合掌。
4. 保持此姿势约五次呼吸后，将手压在地板上，慢慢吸气，上半身回复原来的姿势，并调整呼吸。此动作反复做三次。

③

要点 POINT

1. 头顶无法着地的人，可将双手压在地板上支撑上半身，使头顶着地。维持此姿势约呼吸五次，慢慢吸气，将上半身回复原来的姿势，并调整呼吸。
2. 当头顶着地时，将全身的重量放在头顶，以刺激百会穴。

功效 EFFICACY

因刺激百会穴，故可调整身体的状况，舒缓紧张情绪，使自律神经运行良好。

SPINAL TWIST 扭转式

步骤 STEP

1. 坐在地板上，右脚向内弯曲贴地，脚跟靠近左臀部，左脚跨在右膝外侧，调息预备。
2. 左手环腰，身体向左扭转，眼睛看向左后方，停留做五次腹式呼吸。
3. 身体回正，右手肘按在左膝外侧，右手抓住左脚踝，身体向左扭转，挺胸，眼睛看左后方，停留做五次腹式呼吸。
4. 双手放开，脚还原伸直，休息一下，换边做，反复练习三次。

①

要点 POINT

1. 手要穿过膝盖，身体须尽量向前倾，让上臂跨过膝盖外侧，以方便双手连接。
2. 练习时应尽量挺胸，维持上半身挺直，扭转到极限时意念集中在腰部，在一呼一吸之际带走腰部油脂。
3. 身体较僵硬者可多练习step2、step3。
4. 双手相连的step4动作难度较高，不妨拿一条小毛巾或手帕，两手各抓住一端慢慢拉近双手的距离，多练几次手就容易握到了。

②

功效 EFFICACY

借脊椎急剧扭转的刺激，活化脊椎、纠正脊椎的歪斜，并按摩腹部内脏，强化血液循环、调整身体各部位，放松神经紧张感。

YOGA

二、心理疏导，消除精神困扰

To Calm Your Mentality And Avoid The Nerve's Interference

1 解除抑郁

抑郁症是一种全身性疾病，包括躯体、情绪、思想和行为均受到影响。目前，世界每年约有11.3%的成年人患抑郁性心理障碍，抑郁症的发病率和复发率很高，严重威胁身体健康甚至生命安全，故如何预防抑郁症的产生是值得重视的课题。下面瑜伽练习中微笑的动作，将由表情动作来感染内心，由脸部的微笑来带动内心的喜悦；海虾式中扩胸、挺胸的姿势则从肢体上舒展内心，促进肺部的深呼吸，排遣心中的郁闷，纾解心中的不安、焦燥和忧虑，从而使人从内心深处感到愉快和舒畅，有效地改善忧郁状况。

THE WAY OF SMILING

微笑法

将两嘴用力向两边牵拉，嘴唇形成一条直线，保持数秒钟，自然呼吸，然后放松，反复做3次。

功效 EFFICACY

横向拉伸面部肌肉，想像高兴的事情，通过面部肌肉牵引脑部神经，使人心情愉快。

THE SEA SHRIMP'S POSE
海虾式

步骤 STEP

1. 站立，做深呼吸。
2. 左脚向前方跨出一大步，双手于背后合掌。
3. 吸气，上身慢慢后仰，吐气，停留做深呼吸。
4. 吸气，上身缓慢回正，再配合吐气，身体前弯，尽量贴近腿部，停留数秒做深呼吸。
5. 还原，换脚再做一次。

①

②

③

要点 POINT

练习过程中，要注意保持顺畅的呼吸；此动作既有前弯又有后仰，宜缓慢为之，才不致造成头昏脑胀的现象；同时双腿重心需保持稳定，才能做上半身的后仰与前弯。

功效 EFFICACY

此动作属全身性的动作，可畅通全身血气，打通任督二脉，还可利用扩胸来解除郁闷。由于双膝伸直，可直接牵引腿筋，因此有美化腿部曲线的功效。

②治疗歇斯底里

在瑜伽的先驱所开悟的“诸法无我”的教义中主张：人是无法单独生活的，需要与他人共同生活，唯有觉悟到生命是天所赐予，才能活得心安理得。但是与此相反，以自我为中心又容易歇斯底里的人，总是认为他人都是为自己而存在，一发生不如意的事，就会对周遭的人发泄。拥有这种负面性格的人不仅形象不好，自律神经也往往失调。

首先，利用瑜伽矫正腰椎，调整不良的姿势，再基于整理脐下丹田的做法，养成冥想的习惯，使身心安定以后，再塑造谦虚的人品。

PONDERING 冥想

每天耗费二十分钟，保持正确的坐姿，开始冥想。只要使吐气长一点，脑波就会安定。

步骤 STEP

1. 双腿盘成“莲花的姿势”，两手放在膝盖上做知识手印。
2. 左手放在腹部，右手放在胸口处，闭上双眼，一面吸气，一面扩张胸部。

功效 EFFICACY

安定精神，挺直脊柱并加上深长的的呼吸，可解除焦虑急躁。

WHEEL 轮式

步骤 STEP

1. 仰卧，曲膝，用双手将脚拉至臀侧，手指尖朝肩膀的方向置于双耳侧。
2. 抬腰，支撑肩与双脚。双手施力支撑起身体，头顶着地。手慢慢靠近脚的方向。

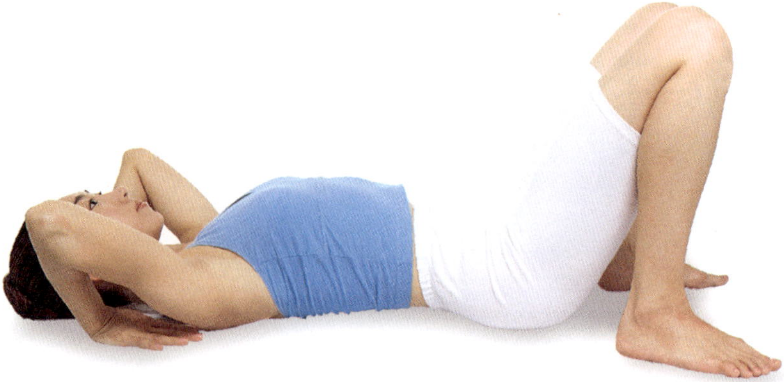

①

②

3. 双手及双脚撑高，使头与身体向上抬。肘与膝盖努力伸直，腰部上抬成拱门状。保持此姿势约呼吸五次，缓慢调整呼吸后，由头部、臀部之顺序，依序放回地板上，做无空姿势后休息。
4. 完成3的动作后，使手脚保持平衡，一面吐气，一面将单脚抬高与地板垂直。保持此姿势，约呼吸五次后，换脚做相同的动作。之后再回到原来的姿势，并采用“无空姿势”休息。

③

要点 POINT

两臂紧靠身体。手臂不可弯曲。

功效 EFFICACY

可使脊椎有弹性、矫正驼背；调整自律神经之功能，解除烦躁；调整肠胃功能。

③ 调和精神官能症

精神官能症与精神病不相同。站在以“气”为基础的观点来看，精神官能症是气混乱所引起，而精神病是精神异常的疾病。

欲治好精神病，除了依靠专门医师之外别无他法。但由于气混乱所产生的精神官能症，则可依靠调整膀胱经之“气”而恢复正常。

精神官能症分为具有强烈不安感的不安神经症、具有强烈惧迫观念（有强烈的固执性格者易发病）的惧迫神经症、因具有忧郁性格所导致的抑郁神经症及失去真实感的离人神经症等等，因症状不同而情况各异。

要治疗精神官能症，依靠冥想的自我洞察以了解自我，是最理想的治疗方法。

读者不妨利用伸展背部的姿势来调整因紧张而混乱的膀胱经之“气”。

TO STRETCH YOUR BACK

背部伸展式

步骤 STEP

1. 双脚向前伸直坐下。背部挺直，手置于大腿上，吐气，将上半身向前倾，并以食指勾住脚拇趾。

2. 吸气，将上半身向后仰。
3. 充分吸气至胸部后，吐气，将上半身往脚趾的方向，由腹、胸、下颚、额头依序向前倾。此时要避免膝盖弯曲。待上半身完全贴着脚后，保持此姿势约五次呼吸，之后慢慢吸气，回到原来姿势。此动作反复做三次。

要点 POINT

若手无法勾住脚趾，可通过手碰脚趾即可，身体向前倾时，避免膝盖弯曲。避免有反弹作用的动作，更不要请他人协助推背。配合呼吸，每日少量练习，日久自然会有进步。

功效 EFFICACY

1. 可矫正脊椎弯曲和自律神经之功能，促进精神官能症之解除。
2. 使内脏的功能活性化。
3. 消除腹部的皮下脂肪，使腰部变细。
4. 使膝关节柔软，解除神经痛。

三、完善心理，打造优秀心理素质
TO PERFECT YOUR MIND AND BULID YOUR EXCELLENT PSYCHOLOGY

肢体语言来自于你的心理活动，而你的一言一行又会反作用于你的心理世界：一个动作果断、行为举止很得体的人定有着一个自信的心灵、平和的心态。具有这些良好的心理素质的人就会在众人中散发出迷人的气质，同时拥有了这些闪亮的优点，你会享受到这些表情动作后带来的一个又一个充满了转机的命运。

1 平和心态

身体重量转移到一只脚的动作可以促进脊椎挺直，强化和调胸部功能，提高中枢神经系统的活力。最重要的是，这些动作严格的平衡性能提高自己对身体的感知，当动作不协调或注意力不够集中时，动作就会摇摆不定，要领就难以完成。另外，由于意识的集中，能够排除过多的杂念干扰，这有助于你保持身体的平衡和心态的平和。

WOODS 树木式

1. 站立，做深呼吸。
2. 吸气，将右脚掌放置在左大腿上，吐气。
3. 吸气，双手合掌放在头上方，手肘打开，停留数秒，做深呼吸。
4. 还原，放松调息，换脚再做一次。

①

要点 POINT

配合顺畅的呼吸与意识是很重要的。练习时若有重心不稳的现象，可暂做止息，以帮助自己站立得更稳，一旦重心稳定后，要注意保持顺畅的呼吸。

功效 EFFICACY

可增加平衡感，将身体线条修饰均匀，强化膝盖并改善下半身麻痹或气血循环不良的状况，并能增强自信心，加强自己的专注力，掌握自己的身、心、灵。

BALANCE 平衡式

步骤 STEP

1. 开立，左腿在前，调整呼吸。吸气，双手合十，举过头顶，伸直手臂。
2. 呼气，同时手臂和上身躯干缓缓地前倾到同地面平行的高度，同时把右腿也抬到此高度。保持20秒，自然地呼吸。还原后，换腿再做。左右各做3次。

①

②

功效 EFFICACY

增强腿部和腹部肌肉力量，收紧臀部肌肉，增进脊柱弹性，提升专注力，促进心态平衡。

2 提升自信

这是一个难度较大的属于进阶的动作，腰部及胸部都可以由此获得充分的伸展。进行之前要先热身。这个动作对于练习者来说往往是一个挑战，由脚一点点的抬起，你会不断地感觉：我到这里了，或许还能再高一点；不行了……或许还能再高一点……哦，我竟然能抬到这里……直到将整个动作完整的、合乎要求的完成。你就会在这个过程中不断的挑战自己，随着一个个目标的实现，你的自信心就会一次次的燃起，到最后，你将拥有无与伦比的能量，来挑战所有的一切。

BLOOM 青春式

步骤 STEP

1. 伏卧地上，双脚打开与肩同宽，双手掌置于胸部两旁，做深呼吸。
2. 吸气，上身提起，头后仰，呼气，双膝弯曲，使脚尖与头相触，停留数秒做深呼吸。
3. 缓慢还原，调息。

功效 EFFICACY

美化腿部线条，扩展胸部，增加自信，亦可消除腿部赘肉，纤细腰围，调整骨盆。

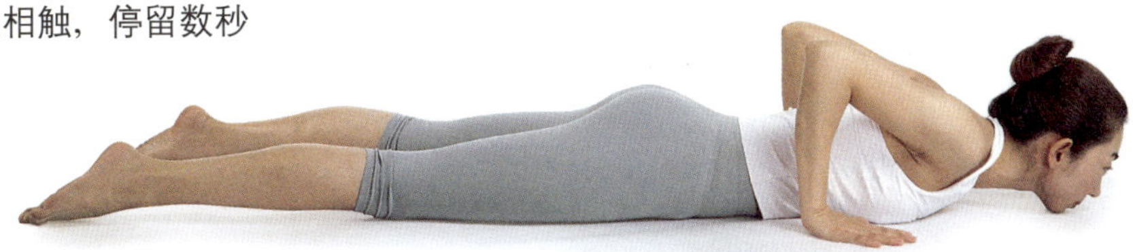

①

②

曲影温馨提示 NOTICE

初学者可能无法使头后仰与脚尖相触，尽力而为即可，去感觉身体由下巴开始经由颈部、胸部直到腹部有紧实感即达功效。

3 优雅气质

舞王式——传说这是印度舞王湿婆所创作的动作，具有将宇宙摧毁并重建的效果。它象征着宇宙能量的流动，也代表人体内在的蜕变。这是一个高贵的姿势，动作优美、纤巧，具有舞蹈般的动感，其流畅的姿势令人赏心悦目。在练习这些动作后能获得一个灵巧有力、平衡良好的身体。随着意识对动作的关注，唤起你的身体与心灵的和谐。另外，后弯式中充分锻炼了阴道的括约筋，强化了性功能，能够提升性感气质。多做下列练习，会在不知不觉中觉察自己的举止也跟着优雅起来，当然你的高贵、性感的气质也会不断地提升，让你浑身散发出迷人的魅力！

NATARAJASANA 舞王式

步骤 STEP

1. 双脚并拢站好，右脚弯曲，右手握住左脚踝，让脚跟尽量贴近臀部，调息预备。
2. 左手向上伸直靠近左耳，眼睛注视前方一定点，维持平衡。
3. 身体缓缓向前倾，右手顺势拉起右脚，两臂呈一直线，并与地面平行，保持呼吸。
4. 慢慢呼气，身体回正，放下右手右脚，调息一下，换左脚练习，左右反复练习3次。

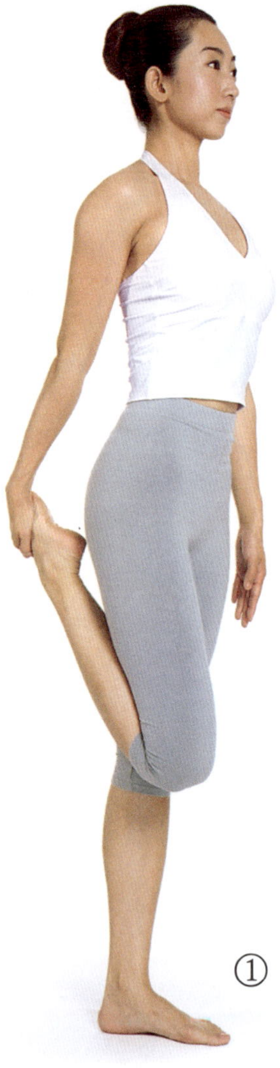
①

②

③

功效EFFICACY

减少心中紧张感，可牵动到全身肌肉，让身体彻底伸展，摆出舞者的姿态，拉高单腿展现自信，提升优雅气质。

BACK CURVING 后弯式

步骤 STEP

1. 跪坐，做深呼吸。
2. 左腿弯曲，脚下跟置于会阴下，右脚尽量往后面伸直。
3. 做深呼吸，双手手指支撑地面，左腿小腿弯曲呈90度垂直，上身尽量向后仰，吐气，停留做深呼吸。
4. 还原，换腿做。

①

②

③

功效 EFFICACY

促进全身血液循环，促进代谢正常，使心情开朗，身体线条凹凸有致，姿势优美柔和。

4 增加勇气

试着想象飞机飞上天空的那一刻：伴着巨大的轰鸣，洁白的“大鹏”直插万里云霄，一种速度与力量的结合，让你感觉到一往无前的勇气与豪迈。好，做做下面的姿势，吸气，头、手、脚都离开了地面，体会一下快要飞起来的感觉， 想象自己就要飞上广阔的蓝天，在浩瀚的天空中翱翔，当风雨雷电来临时，勇敢地搏击着，越飞越高。通过这些想象与暗示，你的潜意识也在不断地被唤起，豪迈的勇气会深深地进入你的内心，渐渐的，你会发现你拥有了一颗无比坚强的心，整个身心都充满了无限的勇气与力量!

PLANE 飞机式

步骤 STEP

1. 趴下，额头着地，双手左右打开，双脚亦左右打开，做深呼吸。

①

2. 吸气，头、手、脚同时离地，
呼气，尽力向上举高，并停留
数秒，做深呼吸。

3. 缓慢还原，调息。

②

要点 POINT

练习此式，当手脚向上举高时，手肘及膝盖须保持伸直，且停留做深呼吸时应同时将肛门紧缩，手脚用力向上，让全身肌肉都紧张，再借由还原放松达到一紧一松的感觉。

功效 EFFICACY

可促进全身血液循环、新陈代谢，紧实全身肌肉，并可增强自信、营造积极向上的情绪。

下面两个体位会有一点小小的挑战性，且有一点危险性，在练习中你会不断产生迟疑甚至会有一点小小的畏惧，不知道自己能否完成以下的动作。随着一次次的尝试，一步步的深入，直到每一个小目标的实现，你会感觉自己在一点点地克服这些畏惧，渐渐的，你会勇敢地接受下一步的挑战。在这个循序渐进的过程中，你的心灵也在经受一次次的锻炼，你会感知勇气的回归!

CRANE AND CICADA 鹤蝉式

步骤 STEP

1. 两腿分开蹲下，双手在身体前撑地。
2. 抬起脚跟，双腿于双臂外侧分开，膝盖抵住大臂外侧，可弯曲肘部。
3. 吸气，上身前倾，将双脚抬高地面，两膝夹紧手臂，靠双臂支撑住身体，自然地呼吸，眼向前看，尽量保持长久。

①

②

要点 POINT

此式稍有难度，练习时身体前放一个厚软垫，以免身体失去平稳，向前倒时造成损伤。

功效 EFFICACY

加强手臂和手腕的力量，收紧臂部肌肉，强化平稳能力。

③

PIGEON 鸽子式

步骤 STEP

1. 坐正，左腿跟拉靠近会阴处，腿往外侧伸直，做深吸。
2. 将右脚拉起，置右脚尖于左手肘处。
3. 吸气，上身微向左转，左手绕过头于后方与右手互握，脸朝上停留数秒，做深呼吸。
4. 缓慢还原，调息。

①

②

③

要点 POINT

练习此式时，可能您的腿会非常的紧，而手无法使您完成如图3的姿势，但别气馁，您可以先练习到图2的阶段即可，再持之以恒，渐进尝试图3之作法。切记！不可勉强。

功效 EFFICACY

促进血液循环及新陈代谢，雕塑身材，活化神经机能，让人保持良好心态。

四、开启大脑机能，提高思维能力

To Startup Your Brain's Enginery And Advance Your Ideation

① 提高记忆力

心血管运动可以增进脑组织的生长发育，而脑部组织的增加就意味着记忆力的增强。现在我们发现很多因素可以促进大脑的自我更新，而锻炼身体就是其中之一。瑜伽动作中头部倒立的姿势可让静脉血液回流到心脏及脑部，加强大脑血液循环，刺激脑细胞活跃，让大脑及时得到更新，增强记忆力。

SHOULDERSTAND 立肩式

步骤 STEP

1. 仰躺。然后屈膝，双手平放在身体两侧。
2. 一面缓慢地吸气，一面把一双腿往上举，膝盖向胸部靠近，绷脚。
3. 再缓慢地吐气，更进一步把腿及脊椎柱举高。手放置于脊柱的当中，双腿伸直，背脊尽量保持挺直，颈椎尽量伸直，下巴也收紧到前胸，使头部与身体成为直角。
4. 放下腿与身体时，仿佛把脊椎一节一节地放下似的，缓慢地放下来。

①

功效EFFICACY

促进头部血液循环，活跃脑部细胞，并按摩腹部内脏，强化内脏机能。

曲影温馨提示 NOTICE

不要过度逞强，否则背骨很可能会受伤。

②

③

RABBIT 兔式

步骤 STEP

1. 跪坐，做深呼吸。
2. 吸气，收下巴，头开始往膝盖方向下移，吐气，双手抓脚跟。
3. 吸气，腿离脚跟，头尽力缩向膝盖，吐气，身体重心放在头颈脊处，停留数秒，做深呼吸。
4. 缓慢还原，调息。

①

②

③

要点 POINT

将意念集中在头顶刺激点上，去感受那有点酸有点痛的舒畅感。

功效 EFFICACY

刺激神经，增加血液供给，帮助身心放松，提神醒脑，加强思考力。

④

曲影温馨提示 NOTICE

初学者若无法将头完全靠近膝盖，只要尽力即可，不用勉强；动作完成后，可前后缓慢移动，使头顶压到更多范围，以达到按摩的功效。

2 加强专注力

学习瑜伽首要的就是集中注意力，在练习下面瑜伽姿势时，意识集中于自己的目的地及各部位，以感受其微妙的变化。另外，意识的集中专注也是练习瑜伽时的关键，从对动作的专注中可培养意识的专注力。

①

TO PUT YOUR HANDS ON THE BACK AND BAND

瑜伽身印

②

步骤 STEP

1. 将双腿盘成莲花座或半莲花座，坐好。
2. 双臂背后曲起，双手合十。
3. 吸气，头向后仰。
4. 呼气，上身缓缓前倾，前额贴地，保持二十秒，自然地呼吸。
5. 直起上身，还原，放松手臂和腿部。交换腿的上下位置再做一次。

③

要点 POINT

练习过程中，此式既有前弯又有后仰，宜缓慢为之，才不会造成头昏现象。

功效 EFFICACY

强化手臂肌肉，灵活肩部，有安定神经、减缓心率的作用，并可提升注意力和判断力。

④

GLIDE 滑翔式

步骤 STEP

1. 坐正，腰背挺直，做深呼吸。
2. 吸气，双膝弯曲，双手左右打开，吐气。
3. 吸气，双脚离地，举起小腿，让膝盖、小腿、脚板呈一直线，并与地面平行。
4. 缓慢还原，调息。

①

②

③

要点 POINT

要做到有很辛苦的感觉，以及很幸福的舒畅感喔！动作完成后，意念放在腹部，尽自己的体力施力，并勉强自己多停留几秒，让腹部、腰部多用点力，对燃烧腹部脂肪更有效果。

功效 EFFICACY

训练耐力与平衡感，增强体力、改善体质，消除腰酸背痛，加强专注力及提高耐力。

五、修善性格，塑造谦和品质

To reform your character and figure your quality of modest

有人认为“江山易改，本性难移，性格是天生的，改变不了”，其实不然，按照马克思主义的唯物辩证法，“变”是永恒的。瑜伽的理念是教人们“走爱的道路”、“一切皆以善心看待”，坚信“人是可以自我完善的”，我们在平时的生活中若广结善缘，取众人之优点，弥补自己之不足，注重提高自己的修养，勇于超越自我，就可以磨练出新的性格气质。

一个成功的人，一定具有着宽阔的胸怀、温和谦卑的态度，以及严谨细致的作风等等的诸多优秀的性格品质。瑜伽行法中由改善不良的体态、体质开始，从而改善不良的心理，塑造正面性格，培养积极的人生态度。

1 走出狭隘，开阔心胸

我们所持的种种动作都反映了我们内心的感受，如果我们认为别人总是和自己过不去，整日为一些小事斤斤计较，闷闷不乐，长期下来就会感到身心疲惫不堪，心情郁闷易烦躁，这些负面心理作用于我们的行为上就会产生动作的不协调，例如双肩松垮、眼神散漫、目光游移不定等。此时，我们就需要严格地检查自己，改变自己不协调的行为，常行豪放、舒展之举，经常放松自己的身体，“身正影不歪”，慢慢的由外及内地调整，进而置换内心的负面意识，植入积极、健康、和善、向上的观念，潜移默化地达到心灵的净化。

将意念放在丹田处或坐稳的下半身，想象自己像一只美丽的云雀，配合呼吸，冥想自己将要化身为可人、轻盈、美丽的云雀，就要飞上蓝天，鸟瞰大地，看到了无限美丽的画面。此时，胸中所有不悦、心结甚至与他人的小纠纷都会随风而去，整个意念中只有辽阔的大地、高远的蓝天，感受到这一切是多么的美好，产生了一种从未有过的对生活的热爱、对他人的热爱、对整个世界的热爱，你会感到自己的心灵经过了一次纯洁的洗礼！

SKYLARK 云雀式

步骤 STEP

1. 跪坐，做深呼吸
2. 左脚弯曲，脚跟置于会阴下，右脚尽量往后面伸直。
3. 做过深呼吸并感到平衡之后，两手向两侧伸直。
4. 吸气，上身尽量往后仰，吐气，停留做深呼吸。
5. 还原，换脚做。

①

要点 POINT

动作完成时，如果重心不稳，可先止息，后仰后，等重心稳定下来，再保持顺畅的呼吸。暂时的止息可帮助平衡，但重心稳住后，一定要呼吸顺畅，才不会头昏。

功效 EFFICACY

促进全身血液循环良好。训练平衡感，调整自律神经，增加情商，使心情开朗。

②

③

STAND AND CROSS SITE BEND
站立交叉侧弯式

步骤 STEP

1. 双脚分开约与肩同宽，双手向上伸直，手指交握反掌向上推高，调息预备。
2. 吸气，左脚跨过右脚，双手继续向上推。
3. 重心放在右脚，左脚弯曲臀部向右推呼气时双手夹耳朵身体向左弯，眼睛看向天花板，停留做五次腹式呼吸。
4. 身体回正，换脚练习，左右反复练习三次。

曲影温馨提示 NOTICE

侧弯时把腰部往前推，身体不可向前倾，手臂尽量伸直。交叉的双脚，一脚弯曲，另一脚伸直，身体弯到腰侧肌肉有酸酸紧紧的感觉时，意念放在被拉紧的侧腰。

①

②

HERO 英雄式

威武的英雄姿势是一个由上到下的全身性的伸展动作，它完全将身体的各部位充分的打开，促进全身血液的充分循环。瑜伽行法之所以能改变心情，治疗疾病，是因为体型的变化能诱导心理作用及生理作用，实现“身心如一”观。在这套动作中借肢体的充分伸展，暗示身体如同打开了所有的大门，让每一处都充满了阳光，世俗的烦恼、忧愁、纠葛等负面心理都将远离而去，从今天开始将以一颗博大的心去对待每一个人、每一件事物。

步骤 STEP

1. 双脚并拢站好，左脚向前跨一大步，右脚在后伸直，脚尖踮起踩稳，重心放在左脚，膝盖弯曲呈直角状，调息预备。

①

②

③

2. 双手张开与肩同高，身体向左转，眼睛看左手，停留做五次腹式呼吸。
3. 身体回正，再向右转，眼睛看右手，停留做五次腹式呼吸。

4. 身体还原，双手合掌，吸气时肘手臂伸直向上举起，身体向后倾，头往后仰，眼睛看向天花板，挺胸，吐气，停留十秒。
5. 手放下至身体两侧呈45度，扩胸，头往后仰，停留十秒钟。
6. 手还原，身体回到1式，调息一下，换脚练习，左右脚反复练三次。

④

⑤

要点 POINT

尽自己最大极限，不要勉强。动作完成后，身体要尽量放松，重心要稳住。

功效 EFFICACY

扩展胸腔，增进深呼吸能力。改善心情并稳定情绪、使心胸宽广。

2 改善急躁脾气，轻松降肝火

爱发脾气、情绪容易激动的人，常常被视为“肝火大”，也就是中医所说的“肝火旺”。其实，一般俗称“肝火大”的体质还有下列一些症状：口干舌燥，口苦，口臭，睡眠不稳定，身体闷热，排便不畅或大便黏腻，嘴唇红，干，裂，舌苔增厚等。

虽然以上症状都被通称为“肝火大”，实际上则可能是由不同器官组织造成的，如肝脏、胃、脾脏、胰脏、横膈膜、大肠、小肠、腹膜等，因此，要成功地降“肝火”需对诸多部位进行调理。下面的动作中让身体充分的侧弯，调节脊椎神经及腹腔器官，促进肠道的正常运作，刺激生命能量流入脾、肝、胆、大肠、小肠及心脏。

TRIANGLE 三角的变形姿势

步骤 STEP

1. 患肝脏病的人通常都感到疲倦，因此，可以两膝跪在地板上做。

①

2. 右膝贴在地板上，把左腿伸向侧面。

3. 一面吸气，一面把两手向左右伸直，与肩膀同高。手掌向下。

4. 一面吐气，一面把上半身向左倾斜，左手放在膝盖上面。

②

曲影温馨提示 NOTICE

做步骤3时，必须改变右手的手掌方向，以伸高手的姿势，把身体向左倾斜。只要放松手臂以及颈部，即可感觉到非常的舒畅。缓慢地运动横膈膜，呼吸四次。一面吸气，一面回到原来的姿势，再换另外一双腿，缓慢地做相同的动作。

③

3 纠正粗心大意，培养细腻度

心理学家多年来的研究发现，人们之所以粗心大意，不外乎注意力不集中、心情紧张或压力太大等因素，其中又以压力太大、心情紧张最为常见。也就是说，过高的压力和紧张的心理是造成粗心大意的主因。在下面的瑜伽实践中将由脊椎的活动与舒展配合深长的呼吸吐气来调节自律神经，使精神安定，解除焦虑、急躁，缓解心情紧张及心理压力，静心涤虑，提气养神，改善粗心大意的负面状态。

THE POSE OF TWISTING YOUR SPINE
脊柱扭动式

步骤 STEP

1. 坐在地板上，左脚向内弯曲贴地，脚跟靠近右臀部，右脚跨在左膝外侧，调息预备。
2. 右手置于右膝盖，身体向右扭转，眼睛看向右后方，停留做五次腹式呼吸。

①

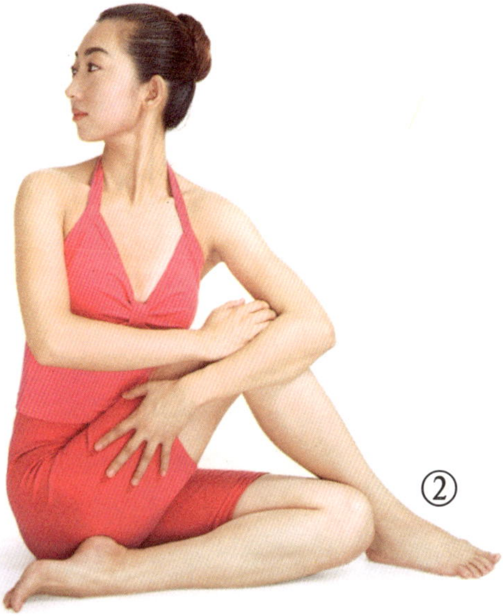
②

③

双手相连正面图

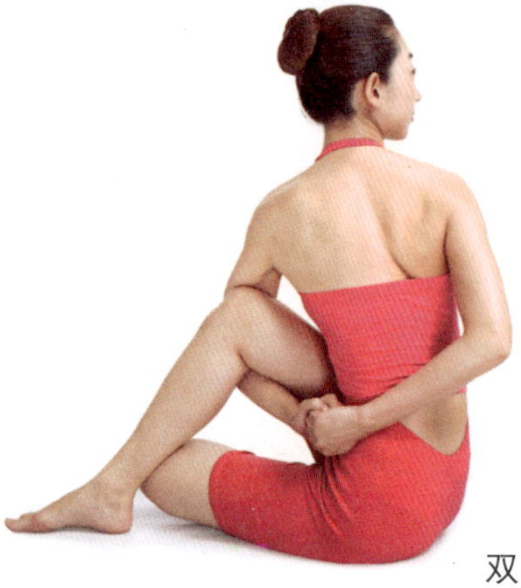

双手相连背面图

3. 身体回正，左手肘按在右膝外侧，左手抓住右脚踝，身体向右扭转，挺胸，眼睛看右后方，停留做五次腹式呼吸。
4. 双手放开，脚还原伸直，休息一下，换边做，反复练习三次。

功效EFFICACY

按摩腹部内脏，强化血液循环，调节神经系统，使人充满活力和信心。

曲影温馨提示 NOTICE

1. 手要穿过膝盖，身体须尽量向前倾，让上臂跨过膝盖外侧，以方便双手连接。
2. 练习时应尽量挺胸，维持上半身挺直，扭转到极限时意念集中在腰部，在一呼一吸之际带走腰部油脂。
3. 身体较僵硬者可多练习step2、step3。
4. 双手相连的step4动作难度较高，不妨拿一条小毛巾或手帕，两手各抓住一端慢慢拉近双手的距离，多练几次手就容易握到了。

HALF SQUAT 半蹲式

步骤 STEP

1. 双脚分开约与肩膀同宽站立，挺胸，双手在后，手指交叉握紧，调息预备。
2. 上半身维持挺直，呼气时膝盖弯曲，双脚慢慢向下蹲，大腿逐渐靠拢，直到两膝盖并拢，停留做五次腹式呼吸。

①

②

功效 EFFICACY

促进血液循环和新陈代谢，柔软膝盖关节，促进生命能量平衡，消除急躁，有静心作用。

曲影温馨提示 NOTICE

下蹲时注意身体不可往前倾，把力量全放于双腿处，以增加腿力及承受力。

THE LANE OF
QUYING DOING THE YOGA
Ggfgg ljgrow eriasad rgfblzi fdgjag kbcgrkjbi irfjg

第六章 冥想行法

思想的洗礼——

THE IDEAISTIC ABLUTION

—— THE WAYS OF PONDERING

任何形式的冥想只是心理卫生的一种方式。我们已经习惯照料身体的例行公事——刷牙、洗澡、洗头，但对自己心理卫生的照顾却不在意。每天花些时间做冥想，任何形式都可以，提醒你注意，自己的心灵与灵魂也需要照顾。

在嘈杂尘世的纷扰中，我们需要反省自己的心已变成什么样子，要关心它们是如何真正运作的。你为你的心感到骄傲吗？或者你的心只是狂乱盲目地到处冲撞，而你从不问为什么？

花点时间照顾你的心灵。

在你开始任何练习前，舒服地坐下，闭上眼睛，静静地呼吸一到两分钟。注意你的呼吸，感觉你渐渐放松。当你呼吸时，别让任何紧张的情绪靠近你。

注意你的呼吸，深深地吸进来，再慢慢地呼出去。

一、冥想的意义与目的
The Effect And The Aim Of The Meditation

冥想（Diyana）是保持静虑（平等心）身心的特殊训练。它不受任何东西妨碍，其目的在正观真实、品尝静寂的妙境。

心灵紊乱，映在你眼中的万象也莫不紊乱；心清则一切皆清，心乐则一切皆乐，不是有“三界唯心之所现”这一句话的吗？

人们常用自己所戴的有色眼镜来观看万物，用自己所持有的尺度来判断事理，依自己的顽固或自己的感觉（好恶）来否定事物或肯定事物。因为这，我们总是对生活有着许多的彷徨、犹豫甚至迷惘，不能拥有自然而且真实的生活。

因此，若想正观真实，活在真实之中，首先必须从这种顽固执着中挣脱出来。冥想就是到达这一目的的方法。

冥想行法不是祈求奇迹的出现，不是追寻不可思议的事物，更不是求助于神的福佑，而是要我们离开好恶的对立与利害的打算，静静地去感知展开在我们面前的真实，静静地去正视（直感）真实“道路”的开展。我们要有纯真的心境，才能去正观真实。

二、冥想需要的用品
Things you need in Diyana

垫子

你买了一张冥想专用的坐垫后，或许你还要再买一张平坦的大垫子。这款垫在坐垫下面的东西叫做“拜垫”，它可以用来把你的冥想垫稍微垫高，并重点保护你的脚踝。

毯子和围巾

当做放松运动时，你可能需要给自己披上一张轻薄的毯子来保暖。如果你坐着的时间过长，或者在大清早做冥想时觉得身体有些冷了，也可以给自己裹上一张毯子或围巾。

宽松的衣服

冥想时尽量穿着宽松的衣服。千万别穿皮带，别戴表带过紧的手表，更别穿任何束缚或紧绑着身体的衣服。宽松的裤子或运动裤比较合适，长而宽松的裙子或长袍也是不错的选择。

铃钟、藏铃和西藏老唱钵

在冥想时，举行一些小的仪式能对练习祈祷有所帮助。在开始和结束冥想时敲响铃钟或一种小小的叫藏铃的铙，能帮助你集中精神进入冥思状态，以及从冥思状态中走出来。西藏老唱钵其实是一种铃，小的直径只有几厘米，有时你也能见到比较大的老唱钵。你可以用一根小木棰来敲打它，也可以轻轻摩擦它的边缘让它发出悦耳的共鸣声。如果不想使用这些专门的用品，找一个普通的铃钟，你也同样可以用它来提示每次冥想的开始和结束。

计时器

有些人觉得使用计时器会让人分心。但是如果需要给冥想计时，你可以把手表放在地板上，或者随便放一个钟或计时器在自己视线可及的地方。在最初进行冥想的阶段，使用计时器能帮助你感觉10分钟或20分钟到底有多久。

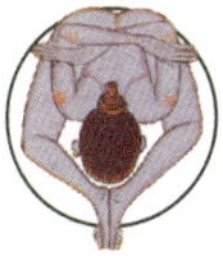

三、冥想中手印的意义
The meaning of mudra in Diyana

瑜伽认为，手的各个部位能表现身体、大脑和心灵的状态。进行冥想时，变换各种各样的手印，也是因为不同的手印对身心的影响是不同的，各种各样的手印创造出接近神圣意识的特殊的连接环，非常有助于净化和扩张心灵。

1.拇指和食指合叠——人和自然合一

在瑜伽的冥想中，一般常用的智慧手印（Jnana Mudra）是手掌向上的。手掌向下的属于秦手印（Chin Mudra）。

将拇指和食指的指尖轻轻合叠后，以手掌为天障，结跏趺坐，这时拇指象征着宇宙或神圣意识，食指象征个人意识，这意味着大宇宙与小宇宙的合一，即人与自然的合一。在医学的阴阳五行中，拇指和食指象征着金气，是与灵感和直觉的能力相关的；拇指是代表内部能量的直觉，食指是代表外部能量的灵感，所以它也开启了人与自然相通的道路。而且这在佛教中意味着强调教授的姿势，在古代的圣画或基督教礼拜中也经常能看到。所以这是代表着，希望能拥有像神一样

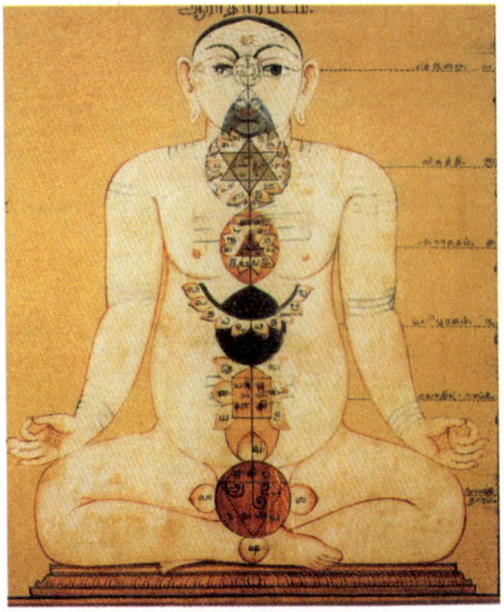

的智慧和充满爱与慈悲心灵的人类信仰的姿势。所以，希望灵力升华时经常采用。这有助于记忆力和注意力的提高，可以改善高血压、忧郁症、失眠等。

2.Pushpaputa Mudra

结跏趺坐或半跏趺坐（女性右脚向上，男性左脚向上）。两手掌向着天障，放在膝盖上。这时放松手指的力量，轻轻合拢五个手指，尤其拇指要并拢在食指的侧面。

这意味着彻底清除否定性的心态，用身心接受宇宙中最为干净的气息，也意味着“彻底地开放”，所以在需要身心治疗时非常有用。在精神压力非常严重、身心劳顿时也可使用。

3.禅那手印(Dhyani Mudra)

这是古典的冥想姿势，将两手轻轻合叠成碗状，将拇指尖相连，然后将完成姿势的手放于踝骨上。这是很古典的方法，一般用得比较多。女性右脚和右手向上，男性左脚和左手向上。这种手印意味着空而充满力量的容器。这种方法以汇合、平和、稳定精神和扩张意识为目的。

4.Atmanjali Mudra

这是双手合十、放在胸前的姿势，手掌之间要留下一些空间。在深吸气的同时，双臂划大圆圈，向上推举，在呼气的同时合于胸前，做成冥想的姿势。此姿势的目的在于身体和心灵的合一、大自然和人类的合一。而且这种姿势有助于集中精神，活跃和协调左右脑。这种手印对获得平和的心态有显著效果。

四、怎样进入冥想状态

How to enter the condition of your Diyana

冥想有时被人描述为“两个想法之间的空间”，因为它能带来一种思绪宁静之感，同时又有非常清醒的意识。思想是平和的，又是高度敏锐的。这把冥想的状态与发呆区别开来，发呆是一种思想随意游离的状态。

只有在思绪平静下来，思想集中的时候，才能进入冥想状态。这种状态在你感觉放松的同时，又带来高度清醒的意识和知觉。正确的练习可以让人感觉到自己内在的力量，促使身心恢复活力，最终达到与整个自我合而为一的境界。这是samadhi，即沉浸——瑜伽的终极目标。

在瑜伽用来使思想集中的许多技巧中，有想象（凭借想象或跟随别人话语的引导想象），使用视觉刺激物，如蜡烛的火苗，以及重复某个语句或声音。这种语句叫作咒语（mantra），它可能是一句有特定涵义的表达崇拜的颂词，或者只是一个深沉的音节，用来驱除分散心神的外界噪音和纷扰的思绪。

选择一句咒语（Mantra）

经典的印度或瑜伽咒语（Mantra）是一个颂赞的音节Om，因为它既象征神明（上帝）的重大意义，又有令人感到安慰的、深沉的音质本身，所以为人们所采用。它已经作为冥想的工具被瑜伽修炼者唱颂了几千年，因为它能消除紧张和焦虑，酝酿良好的情绪，提高对身体的意识，提高凝神的能力。但是，有许多不同类型的咒语，你不必非要用一种传统的崇拜语句。重复一个具有个人意义的赞颂的话语，或者你只是觉得它的发音令人感到愉快，可以让你感觉更舒服。所有这些咒语都会帮你调适到适合于冥想的思想状态中。

念着咒语入境 Mantra

开始时，让自己舒适地坐成能轻松地保持一段时间并且能够深呼吸的姿势。如果愿意，你可以用摊尸式躺着，但要让自己保持清醒，这个姿势可能会令你感觉太易有睡意而不能有效地进行冥想。理想的冥想姿势是Padmasana，即众所周知的莲花坐姿。因为在这个姿势中，身体平衡、稳固，并促使思想也取得相应的平衡。但是，它的确需要关节十分灵活才能正确地保持这个姿势。就算你的四肢很柔软，你也需要练习瑜伽一段时间以后（感觉是否舒服姑且不说），才有可能在保持该姿势几分钟的同时做冥想。你可以选择半莲花坐姿和盘腿坐姿(轻松姿势)。

练习“关注呼吸”几分钟，当呼吸平静下来，把每次呼气分为两段。用传统的Om咒语，在每次呼气的头半段，以一种绵长、安静并且听得见的音调吟诵“啊”的声音。声音中应该含有能量，应该缓慢而有意识地把它说出来，不要无力或颤抖。呼气到一半时，嘴唇合拢，用同样低沉的音调发出“呜”的声音。呼气结束时，不要让声音逐渐变小、消失，要聆听和体会声音在你身体内回荡的感觉。不要停顿，缓慢地深吸气，继续重复这个咒语，直至这样做已不再是有意识的行为。

通过练习，你能在头脑中默念咒语，但刚开始的时候，实实在在地把声音发出来，更容易使思想集中。几分钟后，睁开眼睛，两腿伸直，休息一会儿再起来。

THE LANE OF QUYING DOING THE YOGA

Ggfgg sjgrow eriasad rgfblzi
fdgjag kbcgrkjbi irfjg

第七章

曲影清心茶

QUYING'S RECIPE TO CALM YOUR SOUL

神奇的回春术——断食法

The supernatural ways of rejuvenescence fasting

一、神奇的回春术——断食法

1.感悟生命的断食

人类的生存，即所谓生命的活动，其奇异巧妙决非我们所能想象。

瑜伽术中有断食、断性、断财、断家（出家）、断社会（独居冥想）等行法，时时试作隔离、离别、漠视的生活，会让我们产生正确的看法和感受法，会使我们深深地体味到事物价值，更清楚感觉到自己的地位、责任等等。动物本能地以断食为疾病治疗的最后手段，人类的祖先应该也有这项本能，但随智慧的发达，逐渐转向精神修养上了。

断食时，因断食的痛苦而产生心理状态的种种变化，会自然而然想起在饥饿线上挣扎的人们，会知道东西的可贵，为了忍受那些痛苦而不得不挣扎。因忍受痛苦的体验而提高自信，意志力也随之坚强起来了。

2.断食的生理影响

我们生存活动的中枢间脑（自律神经与内分泌之中枢），断食对间脑有根本的影响。

神经有脑脊髓神经（支配随意筋而执掌现在意识）与自律神经（执掌不随意筋与现在意识）二者。自律神经有交感神经（执掌适应外来刺激的生活神经，能展开分解促进运动）与副交感神经（又分为迷走神经与腰尾神经，以适应内部刺激或变化为主的生存生殖神经，执掌合成促进运动）这两种神经的互相抵抗，于是就展开了生命现象。

我们的日常生活中，因交感神经的使用较多，所以比迷走神经发达迅速。为了促进迷走神经的发达，与交感神经获得平衡，自古以来曾有各种修行法，如：呼吸法、诵经法、冥想法等。

断食能给迷走神经很大的影响。交感神经是昂奋神经，迷走神经则是镇静神经，故后者发达，易于保持身心的宁静。

生存神经的自律神经，可以说是宇宙生命潜于人体内的代表，所以这个神经越是发达，越能提高与宇宙的感应交流的幅度。自古以来，圣哲们或以听取生命之声为目的，或以神人合一为目的，常常实行断食。

断食对生理的目的与影响如下：

（1）使过剩营养成分消耗，排除肠内的废物，排除体内毒素使体内净化。

（2）借体液改造体质，使脏器安静地恢复正常。

3.如何断食

全断食是指禁食所有的食物，含固体、液体甚至果汁。水不算食物，因为它不会引起食欲也不会被消化。断食期间尽量多喝水，帮助体内进行排毒及清理。断食主要遵从以下几点：

（1）断食期间不要想食物，利用时间做点静态活动。

（2）将做菜及进食的时间省下，来做其他有趣的事情。

（3）尽量喝水，让毒素得以排泄。

（4）进行体位法或简单的运动（例如散步），以帮助排毒，但不要太劳累。

（5）尽量呼吸新鲜的空气，并选择在天然环境里断食。

（6）随时注意身体，保持温暖。

（7）多做瑜伽呼吸运动，有助于排泄毒物（记得将注意力放在呼吸上）。

（8）尽量找机会休息并放松。

（9）有些人刚开始断食时，也许会有一些副作用，例如头痛或恶心，喝点薄荷茶可解除症状，不要喝具刺激性的茶或咖啡。

4.断食应注意的事项

制定断食计划表，并将减食时期也列入表内。减食期间，必须与正式断食的日数相同，断食的日数因人而定。切记遵循：减食——半食——断食的步骤在这准备期内，要清理肠胃，并驱除寄生虫。必须素食，借以调整体内的糖代谢系统。

下列几点，尤须切实注意：

（1）必须把握住正常的生理状态及心理状态，心理上必须出自自动且在安定的精神状态下进行断食，才有良好的效果，如果在断食中没有注意这点，是非常危险的。

（2）无论是从肉食生活进入断食，还是从素食生活进入断食，都必须经历减食，以调整体内的糖代谢系统，然后再进入断食。

（3）断食的功用，要在两三个月之后才能见效，不能急于求成。若预定日数已满而仍无食欲，则是体内还停留毒素或是还残留宿便。

THE DISCIPLINES OF THE YOGA YAMAS AND THE EXTRACTIVE CONDITION

二、瑜伽的纪律——持戒与精进

纪律是你精神之旅的一部分，每种精神修炼方式都需要纪律。我们需要建立这些纪律，如同我们建立身体的肌肉一般。对每个寻求生命和谐的人而言，耐心、弹性与毅力是很重要的。当你到市场，你有意识地选择食物，分别某物选取与否的标准，就在于你将来愿意得到什么样的结果，这就是一种精神纪律。

“持戒”与“精进”是瑜伽八步功法（瑜伽八德）中的第一、第二功法，持戒是禁止做某种事情，精进则是劝人必须做某种事。

瑜伽的修持者如欲精进，诚心向道，便应该严格遵守戒律，如此才有可能拥有平衡稳定的身心，引导自己的行为朝向正确的方向。五戒是治疗人们痛苦与疾病的良药，是契迷启悟、救获与医疗，也是引导我们步入瑜伽殿堂的大门。我们必须在思想、言语和行为各方面都达到完美，才能达到最高的境界。

1.持戒

“五戒”是一种“自我抑制”，是自己不因外在的对象而动心的一种修法。

（1）戒杀生。

上天有好生之德，不以心灵、言语和行为加害于一切生灵，使其遭受伤害和痛苦。因为每一条生命都是宝贵的，对自己、朋友、动物、花草、环境等宇宙万物皆使其自然生存，人没有权利去破坏自然，不要因为我们的欲望而伤害了那些脆弱的生命。吃食物虽是维护生命和健康的基本因素，但不可因好吃而杀生。

（2）戒妄语。

错误的事别做也别说，要行得正、立得直，思想及言语应以慈悲为怀。平日言语须谨慎实在，不花言巧语、不欺瞒、不挑拨是非，言语要正确得当，错了要勇于认错，实践和颜、爱语、赞美。“生活是一种艺术”，懂得生活的人，才能享受人生。

（3）戒盗窃。

偷或抢都是不好的，不要因个人奢侈而拿取不属于自己的东西。甚至在意念里也不偷窃。身心内外的控制可以使人完美无瑕，迈向精神的层面。

（4）戒邪淫。

指控制人之感官欲望，诚心向道，使其导向宇宙本体，为最高之目标。对练瑜伽的人来说，不恰当而纵欲的性行为必耗精力而影响灵力。为了早日提升心灵、获得能量而达到较高的境界，在参与瑜伽行为时应尽量节欲。男女婚嫁是维持社会人类生生不息的正常行为，但不可因为好色而有奸淫行为。淫像老鼠，只顾贪食美味，而忽略了食物上之毒素，食后必伤。

（5）戒贪。

无欲谓圣；寡欲谓坚；多欲谓凡；特欲谓狂。因此，贪念即是心污染，要想治心污染，就要戒贪。身边只保留简朴生活所必需之物，凡多余的当布施于人，不贪于逸乐，同时不要使自己成为他人或社会的负担、累赘。适当制止人的贪念，世界才有救，自然才有救，我们才有可能健康地活下去。

2.精进

精进五种，亦是自我抑制的修行。持戒的对象是外在的，而精进则是对自我的修行，是比较积极的道德条律，讲求的是对自我的修行是否忠实，要由自己来证明。

（1）净化。

吃纯净自然的食物，能增进身心的健康。

（2）知足。

最美东西不是肉眼看得到的，而是由心灵体会的，不要让外在的事物干扰到内在的宁静。

（3）修行。

生活在服务中充实，生命在参与中彰显，无条件的服务乃繁荣的秘诀。

（4）自我学习。

需要改变的不是我们的生命，而是我们的心态。能改变及影响此生最大者，除父母外，就是“明师、良友、好书”。

（5）祈祷。

祈祷感恩不但能唤醒自我内部的力量，亦能将小我的生命与宇宙全体的生命合而为一，在精神、心灵上产生共鸣。

一般而言，持戒一小段时日便会发现自己的生活态度起了很大的变化，因不作为，心灵便清净了。身体的毛病减少了，烦恼减轻了，精神因此能够真正地松弛下来。晚上睡得深，血压降低了，疲劳也比较容易去除，这些修炼的益处都是显而易见的。

图书在版编目(CIP)数据

抒心安神瑜伽 / 曲影编著. —成都：成都时代出版社，2008.12 (2012.7重印)

ISBN 978-7-80705-829-8

I. 抒… II. 曲… III. 瑜伽术—基本知识 IV. R214

中国版本图书馆CIP数据核字(2008)第116798号

抒心安神瑜伽

SHUXIN ANSHEN YUJIA

曲影 编著

出 品 人	秦 明
责任编辑	都玲玲
责任校对	张 旭
装帧设计	中映·良品 （0755）26740502
责任印制	莫晓涛
出版发行	成都传媒集团·成都时代出版社
电 话	(028) 86619530（编辑部） (028) 86615250（发行部）
网 址	www.chengdusd.com
印 刷	深圳市华信图文印务有限公司
规 格	889mm×1194mm 1/24
印 张	5
字 数	120千
版 次	2008年12月第1版
印 次	2012年7月第4次印刷
印 数	1-15000
书 号	ISBN 978-7-80705-829-8
定 价	26.00元

著作权所有·违者必究。举报电话：(028)86697083

本书若出现印装质量问题，请与工厂联系。电话：(0755)29550097